‹ SÉRIE QR ›

Nº 129

LE DRAP BLANC

Le Quartanier remercie de leur soutien financier
le Conseil des arts du Canada (CAC)
et la Société de développement des entreprises
culturelles du Québec (SODEC).

Gouvernement du Québec – Programme de crédit d'impôt
pour l'édition de livres – Gestion SODEC.

Le Quartanier reconnaît l'aide financière
du gouvernement du Canada.

Canadä

—

Diffusion au Canada : Dimedia
Diffusion en Europe : Harmonia Mundi Livre

—

Dépôt légal, 2019
Bibliothèque et Archives nationales du Québec
Bibliothèque et Archives Canada

ISBN 978-2-89698-410-7

Céline Huyghebaert

LE DRAP BLANC

LE QUARTANIER

Le Quartanier Éditeur
C.P. 47550, CSP Plateau Mont-Royal
Montréal (Québec) H2H 2S8
www.lequartanier.com

Et je me disais que j'oublierais quand il était là-bas, dans la chambre blanche. J'oublierais tout. Ses mains blanches sous le drap.

— Laurent Mauvignier, *Apprendre à finir*

LE DRAP BLANC

DIALOGUES

Prélude

CÉLINE — François ?

FRANÇOIS — Oui ?

CÉLINE — C'est Céline Huyghebaert... Ça va ?

FRANÇOIS — Oui, oui. *(Ils rient pour camoufler leur malaise.)* Et toi ?

CÉLINE — Depuis le temps...

FRANÇOIS — Oui, depuis le temps.

CÉLINE — Jeanne est là ? Je voudrais lui parler.

FRANÇOIS — Bien sûr.

On entend le bruit du combiné qu'on pose sur une table, des murmures, des grésillements.

JEANNE — Allo ?

La première chose que Céline reconnaît dans la voix de sa tante, c'est celle, pierreuse, de son père. Puis Jeanne répète «Allo ?» et Céline perçoit aussi un non, un refus catégorique qui devrait l'inciter à raccrocher immédiatement.

CÉLINE — C'est Céline. Ça va ?

JEANNE — Oui, ça va.

CÉLINE — Je suis contente de réussir à te joindre. Je t'ai laissé des messages, mais tu ne m'as pas rappelée.

JEANNE — Tu sais, nous, maintenant, on n'est là que six mois par an.

CÉLINE — Vous avez une maison quelque part ?

JEANNE — Non, on a un bungalow sur un terrain. On rentre à Plaisir pour l'hiver.

CÉLINE — Ah.

JEANNE — Et toi ?

CÉLINE — Je vis toujours au Québec. Ça va bien. Je fais mes études là-bas. Je suis en France pour quelques semaines et j'aurais bien aimé vous voir.

JEANNE — Pourquoi?

CÉLINE — Je fais des recherches pour écrire un livre sur papa. J'aurais voulu savoir si on pouvait en discuter. Vous voir aussi. On ne s'est pas vus depuis la mort de papa.

JEANNE — Oh, tu sais, je n'ai pas grand-chose à te dire sur lui.

CÉLINE — J'aimerais que tu me parles de votre enfance. De votre vie avant que je naisse.

JEANNE — Je l'ai élevé comme mon fils et je ne me souviens même plus de mes fils, alors tu vois, ton père, je ne m'en souviens plus.

CÉLINE — On pourrait se voir. Peut-être que des anecdotes vont...

JEANNE — Non, non.

CÉLINE — Peut-être que tu pourrais me prêter tes albums de famille pour que je scanne des photos de lui?

JEANNE — Non, ce n'est pas possible.

CÉLINE — Ce n'est pas seulement pour mon projet. C'est pour nous, ses filles, qu'on ait des traces de lui.

JEANNE — Vous en avez, des photos.

CÉLINE — Pas de son enfance.

JEANNE — De son enfance, on n'en á pas beaucoup. On n'avait pas d'appareil, nous, tu sais.

CÉLINE — Pas beaucoup, ce serait déjà quelque chose.

JEANNE — Il faut que je fouille. C'est enfoui quelque part. Ça ne se trouve pas en cinq minutes.

CÉLINE — Ce n'est pas un problème. Je peux passer à la fin de la semaine, si tu veux.

JEANNE — Oui, c'est ça. Je vais y réfléchir.

CÉLINE — Je pourrais même t'aider à chercher.

JEANNE — Je ne sais pas.

Silence prolongé.

CÉLINE — J'imagine que, si je te donne mon numéro, tu ne me rappelleras pas ?

JEANNE — Non.

CÉLINE — Alors, je peux peut-être t'appeler d'ici vendredi ? Ça te laisse le temps nécessaire ?

JEANNE, *d'une voix ferme* — Non, non. Je ne veux pas.

CÉLINE — Tu ne veux pas que je vienne ?

JEANNE — Non. C'est du passé. C'est enterré. Dans pas longtemps, de toute façon, je vais le rejoindre.

CÉLINE — Je ne comprends pas. Je te demande juste de sortir des albums, c'est tout.

JEANNE — J'ai perdu une fille, deux fils. J'ai perdu mes trois frères. Je ne veux plus penser à ça.

CÉLINE — Mais...

JEANNE — J'ai perdu mon frère. Qu'est-ce que tu veux que je te dise ? Je ne vis pas dans le passé. Ça ne sert à rien.

CÉLINE — Ce n'est pas ça. Je ne veux pas vivre dans le passé, mais...

JEANNE — Excuse-moi, mais je dois raccrocher.

CÉLINE — Très bien.

Long silence. Céline se retient de le rompre ; elle espère que l'embarras fera flancher sa tante. Mais Jeanne ne dit rien.

CÉLINE — Je te souhaite d'avoir tout ce que tu mérites dans la vie.

La frustration est audible dans sa voix.

JEANNE, *avec une douceur inattendue* — À toi aussi. À toi et à tes sœurs. J'espère que tout ira bien pour vous. Au revoir.

Long silence.

CÉLINE, *radoucie* — Au revoir.

Et ça raccroche. Avec les incompréhensions et les silences, de part et d'autre du fil, intacts.

Jeanne meurt d'une embolie pulmonaire six ans plus tard.

/ 1

Je n'ai jamais dit à Martin à quel point il ressemble à mon père. Je pense à ça pendant que les plats arrivent sur la table et que Martin me raconte sa semaine dans l'ordre chronologique et en détail. Je fais « mmh hmm » un peu trop souvent, comme une journaliste qui surjoue son enthousiasme pendant une entrevue.

— Ta viande est bonne ? Je te ressers du vin ?

Au lieu de répondre, je scrute le visage de Martin à la recherche de morceaux de mon père. Il a les mêmes lèvres fines cachées sous une barbe drue et, quand il sourit, en haut, la même dent manquante, un trou noir qu'il promet de faire réparer dès qu'il en aura les moyens – certes, mais quand ? –, et qu'il explore du bout de la langue comme s'il s'attendait à tout instant à ce que quelque chose y ait poussé.

Il en est au jeudi soir. Je le couperais bien pour qu'on passe à autre chose mais, au fond, je me cherche un prétexte pour qu'on s'engueule. Il me parle du film qu'il est allé voir seul au cinéma, et dont le titre m'a laissé une vague impression de lassitude.

— Les premières secondes sont cruciales dans un film, tu le sais. Alors là, on a un plan fixe d'un poisson rouge dans son bocal, retiens-le, c'est important. Puis la caméra glisse sur les mains de Gabita, puis sur ses jambes qu'elle est en train d'épiler à la cire, puis il y a un plan large d'Otilia, sa colocataire.

Martin prend la carafe d'eau et nous sert. Il est parti pour me raconter le film scène par scène, alors qu'il sait très bien que ça m'ennuie terriblement.

— On est en Roumanie, juste avant la chute de Ceausescu. Je sais. Tu trouves que je me perds dans les détails, mais je te le dis parce qu'il faut que tu comprennes la situation de Gabita : enceinte de plusieurs mois, dans un pays où l'avortement est interdit.

Je prête une oreille un peu plus attentive.

— Vers la fin, il y a cette scène : Otilia est avec son copain dans la chambre. Ils sont assis face à face, très près l'un de l'autre. Ça pourrait presque être sensuel si Otilia ne venait pas d'avouer à son copain qu'elle avait aidé Gabita à se faire avorter. Il lui demande : « C'était pour ça, l'argent ? » Et Otilia lève la tête ; il y a tellement de fureur dans son regard. Si seulement il savait. Elle pourrait tout lui raconter, mais elle dit : « Tu crois vraiment qu'un avortement coûte juste trois cents lei ? »

J'attrape la salière de la main de Martin.

— Puis elle demande : « Et si j'étais enceinte, tu ferais quoi ? » Il répond : « Ne commence pas. C'est impossible. » Elle : « Ah oui ? Impossible ? Tu y as déjà pensé, hein ? » Elle murmure, mais on sent sa colère. Tout est dans son regard, pas dans sa voix.

Mon irritation commence à se confondre avec celle d'Otilia.

— Elle insiste : « Et comment tu peux être sûr que ça n'arrivera pas ? Tu ne sais même pas quand je suis censée avoir mes règles. » Et là, écoute ce qu'il lui dit : « Si tu étais enceinte, je te demanderais en mariage. »

Je regarde Martin, furieuse.

— C'est à ce moment précis, je crois bien, que la colère d'Otilia se transforme en tristesse, parce qu'elle comprend qu'elle est exactement comme le poisson rouge qui tourne en rond dans le bocal de sa chambre : coincée.

— Et toi ?

Martin me regarde avec surprise et me sourit.

— Quoi, moi ?

— Qu'est-ce que tu dirais si j'étais enceinte ?

Il sort son canif de sa poche, le déplie et le pose sur la table, en repoussant de la main le couteau du restaurant. Il est un peu méfiant, très silencieux tout à coup. Il me dévisage. Il sait que je suis de mauvaise foi et slalome autour de ma question tendue, menaçante comme un piège.

— Alors, je te ressers du vin ?

— T'en aurais rien à foutre, hein ?

— Oui, bien sûr, j'en aurais rien à foutre, c'est ça.

— Avant, t'aurais pas réagi comme ça.

Il découpe son entrecôte, en pique un gros morceau avec sa fourchette, puis quelques frites, trempe l'ensemble dans la mayonnaise et abaisse la tête à la hauteur des verres en ouvrant grand la bouche pour enfourner le tout. Il mastique en prenant tout son temps, avale et expire.

— Avant quoi, Céline ?

L'engueulade peut commencer. Une dispute qui prend la réponse de Martin comme prétexte, mais qui pourrait tout aussi bien venir du canif déplié sur la table, comme celui que mon père dépliait et posait chaque soir sur la table de la salle à manger. Ou bien du corps fluet de Martin, qui me rappelle celui que ma mère n'a osé quitter qu'au bout de vingt longues années, vieillie avant l'âge, elle qui n'avait jamais été aimée autrement que comme une mère. Je regarde Martin, et ma colère grandit alors que je me projette en mère de ses enfants à lui, frêles eux aussi, aux lèvres fines et à la dentition fragile, des enfants qui ne pourront pas espérer faire mieux que nous, et que nous aurons quand même quand le temps sera venu. Que Martin n'ait même pas conscience qu'un tel risque plane sur ces vies-là m'énerve encore plus que le reste.

Et alors je ne sais plus si je lui en veux pour sa mollesse ou pour la tristesse de mon père. Je lui dis qu'il se cache sans arrêt sous sa carapace et que ça me fait pitié. Au fond, je crois bien que je provoque cette dispute un peu lamentable parce que l'amour que m'inspire Martin, premier homme de ma vie de fille sans père, m'embarrasse.

/ 2

Sur le chemin du retour, j'ai fini par en dire plus à Martin sur les raisons de mon humeur, et j'espérais qu'il me comprenne malgré ma colère et mes grandes enjambées vers son appartement, qui me forçaient à m'interrompre en plein milieu de mes phrases pour reprendre mon souffle. Martin peinait à me suivre, il avait trop mangé. J'ai commencé par lui expliquer qu'il ne pouvait pas venir chez moi parce qu'une colonie de larves bibliophages avait envahi ma bibliothèque. Elles étaient en train de ravager les carnets que je tenais depuis que je vivais à Montréal. Elles avaient déjà rendu illisibles cinq ans de souvenirs, traversés d'une couverture à l'autre par leurs galeries, des trous pareils à ceux qu'il y avait peut-être sur le visage de l'homme au chapeau melon. Martin n'y comprenait rien, j'ai tout repris depuis le début. Je lui ai dit qu'un jour j'avais envoyé à mon père une carte de souhaits avec une œuvre de Magritte, *L'homme au chapeau melon,* et à l'intérieur de la carte j'avais écrit un long message qui parlait de résilience. Ou alors de renoncement. Ou des minces chances qui restaient à mon père de ne pas rater sa vie. Je me servais des mots comme de bombes à cette époque, et j'avais bien l'intention que ceux-ci lui sautent à la figure dès qu'il ouvrirait l'enveloppe. Mais le choc avait été tellement violent que mon père était parti à l'hôpital et j'avais dû prendre le premier avion sur la demande pressante de ma sœur. Le temps d'attacher ma ceinture, de la détacher, de traverser l'Atlantique, de rattacher ma ceinture pour l'atterrissage, de toucher le sol de Roissy, d'apercevoir ma valise sur le tapis, et mon téléphone avait sonné à nouveau. C'était ma sœur, c'était trop tard, il était mort. Mais ne t'inquiète pas, avait-elle continué, il savait que tu l'aimais.

Si Magritte avait peint l'homme au chapeau après le passage de la colombe, ai-je dit à Martin, je pense qu'il aurait fait un trou à la place du visage, un gros trou noir sans nez, sans bouche, sans yeux. Martin m'a répondu que je n'étais pas coupable de la mort de mon père. J'ai rétorqué qu'il me coupait toujours l'émotion à la racine, quand j'aurais voulu qu'il me répète cette phrase en me serrant dans ses bras.

— Je suis désolé, a-t-il murmuré.

— Ça ne change rien.

— Tu préfères que je rentre seul chez moi ?

J'ai essayé de dire ce que j'avais au bord des lèvres, mais c'était une pensée qui n'avait pas encore la forme concrète d'une phrase. Elle m'habitait depuis le soir où j'avais rencontré Martin, et la dire ne m'aurait pas fait crever. J'ai haussé les épaules.

— Je sais pas.

Il a souri. Il s'est arrêté, a glissé une main sous sa veste, en a sorti la bouteille entamée au restaurant et me l'a tendue. C'était un vin du Languedoc, avec une attaque trop dure de la syrah, que n'assouplissaient pas les autres cépages. Mais le sommelier nous en avait trop bien parlé pour que, au moment de goûter, je me permette autre chose qu'une exclamation, qu'il avait prise pour de l'enthousiasme.

— Bon anniversaire.

C'est vrai que la veille au soir, nous fêtions nos cinq ans.

/ 3

Ce matin, je me réveille dans la chaise à bascule du salon, avec les pieds glacés et un torticolis. Merde. Quand Martin m'a quittée hier soir, j'ai filé chez moi, bien décidée à en finir avec mon problème de larves. J'ai mis de la musique, je me suis servi du vin et j'ai trié tous mes livres et mes carnets, en jetant ceux qui avaient été abîmés par les larves dans un gros sac hermétique que j'ai descendu à la cave.

En remontant, j'ai senti que j'avais abusé du vin et qu'il ne fallait pas que je m'allonge tout de suite. Alors je me suis occupée des livres que les larves avaient épargnés. Un par un, je les ai secoués et nettoyés avec un chiffon imbibé d'huile de cèdre. Puis j'ai versé de l'huile directement sur les étagères et frotté le moindre centimètre carré du bois avant de replacer les livres dans la bibliothèque, par ordre alphabétique d'auteur, ce que je voulais faire depuis longtemps. Je me suis attaquée aux autres meubles en bois : la petite table basse Ikea, mon coffre acheté chez Renaissance, et la chaise à bascule, premier et dernier meuble de ma carrière d'ébéniste, qui a duré en tout et pour tout trois mois, entre mes velléités de dessinatrice et ma soudaine passion pour l'agriculture biologique, échantillons de la myriade de hobbys que j'ai eus pour attirer – même après sa mort – l'attention de mon père. Quand j'en ai eu fini, j'ai abandonné le chiffon à côté de la chaise à bascule, et je me suis assise, satisfaite.

Depuis mon réveil, je fixe le vide que j'ai laissé sur mon étagère pour matérialiser la disparition de mes carnets ; ce vide entre les borborygmes de Céline – Céline l'écrivain – et les pérégrinations de Cendrars. C'est quand même difficile à accepter, cette infestation. Cinq ans effacés, comme ça, d'un seul coup, la transcription complète des états d'âme par lesquels je suis passée depuis que je connais Martin, mes souvenirs de mon père, que j'ai méticuleusement notés chaque fois que l'un d'eux émergeait, et même quelques observations faites l'année avant sa mort, des successions de mots plus que des phrases – capturant quelques secondes d'une conversation, d'une dispute, ou les détails d'un repas chez lui –, anecdotiques mais essentielles, car écrites par une fille dont le père était vivant, une fille différente de moi, qui ne faisait pas les mêmes rêves que moi, qui n'avait pas peur de mourir comme moi.

Et puis il y avait aussi les dessins au crayon que j'ai réalisés à la morgue, et les annotations, précises, chirurgicales, qui les accompagnent et documentent, centimètre par centimètre, les variations chromatiques de la peau de mon père mort. C'est comme si je perdais non seulement mon père une seconde fois, mais aussi mes souvenirs de sa mort, alors que c'était tout ce qu'il me restait.

Cette disparition me rend légère, aussi douloureusement légère que le jour où mes sœurs et moi avons dispersé ses cendres dans l'eau. Ça n'a pas été une fête. Pas une cérémonie. Pas un moment de recueillement. J'ai plongé les mains dans une boîte et jeté des cendres que le vent renvoyait sans arrêt vers moi. J'éternuais, me frottais les yeux, sortais une autre poignée de poussière en essayant de me rappeler que c'était un corps, ça avait été un corps ; je me retenais aux anses de l'urne, à des poignées de cendre, c'était dérisoire ; j'aurais eu besoin d'une grosse pierre tombale bien lourde pour m'accrocher à la réalité ; la première bourrasque aurait pu me faire disparaître.

Je me lève de la chaise à bascule, ramasse la bouteille vide, des souvenirs d'enfance s'échappent par le goulot et s'entortillent dans mes narines ; je vais dans la cuisine, jette la bouteille dans le bac de recyclage. Je me dis que je pourrais laisser aller ainsi le reste de mes souvenirs, et même mon attachement un peu morbide pour les trous noirs dans les livres et dans les mémoires, laisser aller ce qui m'attache à l'absence de mon père. Et je me sens un peu mieux, comme si ma journée se replaçait sur un plan horizontal. Je vide la poubelle et installe le sac plein en équilibre sur le bac de recyclage pour n'avoir à descendre qu'une fois les trois étages de mon immeuble.

Une buée collante se dépose sur mon visage à cause de la chaleur épaisse de l'été qui est arrivé plus tôt cette année, mais je n'y porte pas plus attention qu'aux affiches de Magritte que j'aperçois de loin, placardées sur les poteaux téléphoniques de ma rue. Magritte est à la mode. Les musées n'osent plus faire de rétrospective de son œuvre et son catalogue a été remplacé par celui de Depardon sur les tables basses des salons.

Mon père avait trois pipes ; chacune de nous – ses filles –

a hérité de l'une d'elles. Des années après que mon père est mort, la mienne sentait encore le tabac et l'odeur imprégnait les objets qui l'entouraient, si bien que j'avais constamment l'impression qu'il était dans la pièce. Alors j'ai enfermé la pipe dans un sac et je l'ai cachée. Maintenant, je ne la trouve plus. Si j'ai un peu de chance, elle est dans la cave, ensevelie sous mes piles de boîtes, peut-être même sous mes carnets dont elle est en train de parfumer délicatement les pages, pour qu'elles se gonflent de l'odeur du tabac et que l'histoire de mon père prenne du corps.

/ 4

J'aimerais écrire un livre sur mon père. Ça fait tellement longtemps que je note tout ce qui me fait penser à lui, des citations, des conversations, des souvenirs. Je consigne même dans un calepin mes rêves où il apparaît. Un jour, j'ai eu l'idée d'écrire un roman sur lui, sous la forme d'une longue liste d'anecdotes. J'ai commencé à les inscrire sur une feuille :

I

Il lui reproche de ne pas avoir mis de gros sel dans l'eau de cuisson des œufs. Elle râle. « Bien sûr que j'en ai mis. » Il est sceptique. « Quand on met du gros sel dans l'eau de cuisson, la coquille se détache facilement de l'œuf. » « La prochaine fois, tu t'en occuperas, si t'es pas content. »

Ça se reproduit souvent, exactement selon cet ordre et selon ces mots.

II

Elle a posé les deux bols sur la table de la cuisine. Le sucrier est à côté. Le café est prêt dans la cafetière. Il le verse dans son bol et l'allonge d'un filet d'eau froide. Il dit : « Je ne sais pas comment vous faites pour boire votre café bouillant. » Elle, elle boit son café à coups de petites succions régulières. Le liquide descend dans son gosier avec un gros bruit de déglutition.

Puis il va aux toilettes, puis dans la salle de bains. Et il part au travail. À table, ils s'asseyent côte à côte, pas face à face.

III

Quand il rentre le soir, il demande aussitôt ce qu'on mange. Elle, dès qu'elle a passé la porte et retiré ses chaussures, elle fonce dans leur chambre pour enfiler des vêtements amples et doux.

IIII

Le soir, il dit aussi : « Je suis fatigué. » Elle répond : « Moi aussi, je suis crevée. Je n'ai pas arrêté de la journée. » Il se moque : « Comme si vous travailliez. » Il nous prend à partie : « Elles sont toujours dans la salle de pause en train de boire un café. » Il dit qu'il est plus crevé qu'elle, parce qu'il travaille dehors, dans le froid, seul. Elle pleure. Ça a lieu autant de fois qu'il y a de soirs dans la semaine de travail.

IIIII

Elle reçoit chaque année, pour son anniversaire, la fête des Mères et Noël, des pièces d'un service en grès qu'elle espère avoir fini de constituer avant que l'artisan ne cesse de le produire. Il y a un respect tacite de la hiérarchie dans ce rituel : à la plus jeune des filles on octroie le privilège de la surprise personnalisée (les petits objets qui ne sont pas indispensables, mais qui sont si mignons : salière et poivrière, coquetier, pot à crème, bougeoir) ; les deux autres accumulent les assiettes, petites et grandes, et tout ce qui fonctionne en série, parce qu'il faut bien que quelqu'un s'y colle ; le mari aide les filles à compléter le service au plus vite pour qu'on puisse enfin s'en servir les jours de fête ; quant au beau-père, il y va fort avec les plus grosses pièces, soupière et saladiers, qu'il espère assez coûteuses pour racheter ses dérapages et les méchancetés qu'il lui a lâchées.

IIIIII

Elle lui prépare les vêtements qu'elle aimerait le voir porter quand ils sont invités chez des amis. Elle pose sur le lit un jean propre et repassé, un t-shirt qui ne fait pas la publicité d'une marque d'outils ou de tracteurs. Lui, il prétend chaque fois qu'il refusera de faire le moindre effort, enfile ses vêtements de travail, usés mais confortables, et se pavane dans le salon pour la faire enrager.

Puis il se change. En de très rares occasions, elle ose la chemise et le pantalon à pinces. Alors, après une longue joute verbale, il cède mais emporte dans un sac jean, t-shirt et tennis, comme le font les femmes en talons hauts qui prévoient de danser plus tard dans la soirée.

IIIIIII

Les week-ends sont consacrés aux tâches qui ne peuvent être accomplies la semaine. Ménage, courses, réparations, rénovations, peinture, coupe du bois, entretien du jardin. Une année, ils gagnent le prix du jardin le plus fleuri.

IIIIIIII

Elle lui demande juste de retourner ses chaussettes et de vider ses poches de pantalon avant de les mettre au lavage, pour éviter qu'un objet oublié ne vienne encore se coincer dans le tambour de la machine. Impossible de savoir s'il essaie d'y penser. De toute façon, la machine, c'est lui qui la répare.

J'ai réussi à avancer comme ça jusqu'à douze fragments.

IIIIIIIIIII

Il va chercher son père à la gare. Elle dit que le repas sera prêt à midi, qu'ils ne traînent pas trop au bistro. Elle attend quelque chose que le mariage aurait dû déposer dans sa vie, surtout le week-end.

Et puis je n'ai plus rien trouvé après, alors j'ai rangé ma liste de souvenirs insignifiants sur l'étagère.

Ma mère ne m'a pas répondu la fois où je lui ai demandé si elle aimait mon père. Mais, plus tard, elle a dit : « J'étais mal dans ma peau. J'avais besoin que quelqu'un s'intéresse à moi. » Elle m'a avoué aussi : « Il ne m'a jamais dit je t'aime. » J'ai demandé : « Jamais ? » Elle a répété : « Non, jamais. » Je n'ai pas été à la hauteur de sa confidence. J'ai essayé de la faire disparaître en disant : « Mais tu savais quand même qu'il t'aimait, non ? » Elle a dit : « Oui. » Oui, bien sûr qu'elle savait, mais on a besoin de l'entendre. J'espère qu'avec Martin on n'oubliera jamais de se dire ce qu'on a besoin d'entendre pour que ce que nous appelons notre amour ne se transforme pas en quelque chose d'autre, par exemple un couple.

Les dernières fois que nous avons fait l'amour, Martin et moi, j'ai essayé de garder les yeux ouverts. J'ai fait ça pour rester dans le présent, ses baisers sur mon front, la texture de sa peau sous mes doigts, le froid, le chaud, l'intérieur de mes cuisses contre ses hanches. Mais chaque fois que je commençais à ressentir un peu de plaisir, mes paupières se fermaient, par réflexe ou par pudeur, et le visage de mon père apparaissait. Le visage de mon père en gros plan, ses rides, paysages accidentés, crevasses, pores dilatés, poils gris et durs. Son visage ou sa voix. « Elle est trop lourde, ta tête ? » Ce genre de phrases qu'on retient du passé, comme si le passé n'était composé que d'événements sans importance.

Mais le banal peut laisser plus de traces et faire plus mal

qu'un drame bruyant, même quand il s'agit de la manière dont on doit cuire un œuf ou de la température à laquelle on boit son café. J'ai vécu chez mon père quelques mois avant de partir à Montréal, et mon chat a eu sa portée chez lui. Je pensais que ça lui ferait de la compagnie, quatre chatons qui courent dans la maison, mais il me disait qu'il les détestait et menaçait de les noyer dans les toilettes chaque fois que je parlais de sortir. Si bien que j'ai été vraiment soulagée de trouver rapidement des familles d'accueil pour deux d'entre eux. Le soir où les gens sont venus, mon père n'était pas comme d'habitude. Il n'arrêtait pas de caresser les chatons et les gardait contre lui, alors je les lui ai pris brusquement des mains pour les donner aux deux couples qui attendaient. Quand j'ai refermé la porte, mon père s'est mis à pleurer. Je me suis demandé s'il pleurait à cause des chats ou de mon attitude. Peut-être, dans mon geste, a-t-il senti le mépris que je lui vouais depuis quelques années, et que j'étais persuadée de son incapacité à prendre soin de qui que ce soit. Un peu plus tard dans la soirée, il m'a demandé de ne pas donner les deux autres bébés. Il voulait les garder. Ça aussi, c'est une anecdote insignifiante – mais elle me coupe le souffle chaque fois qu'elle me revient en mémoire ; je revois, au ralenti, le mouvement de ma main qui arrache les chatons de ses bras pour les donner aux inconnus, les yeux bleu-gris de mon père qui s'embuent. C'est un geste que je ne peux ni effacer ni remplacer par un autre. Il s'ajoute à la liste des souvenirs que j'ai retenus de lui. Ce n'est pas une liste de gestes d'amour ou de moments heureux. La mémoire est ingrate. C'est une liste de gestes, de paroles et de rendez-vous manqués.

/ 5

Au coin de ma rue, il y a un petit attroupement autour d'une vieille dame. Je m'arrête et fais semblant de chercher mes clés dans mon sac. Je tends l'oreille pour comprendre de quoi il retourne. Je n'arrive pas à entendre clairement les conversations, mais une odeur familière me saisit. Les odeurs ne sont pas des traces; elles restituent le passé tel quel et, avec lui, les émotions, le décor intacts. En pensant à ça, je me rends compte que la porte de l'appartement de la vieille dame est ouverte. Si je passais la tête par cette porte, je sais très bien ce que je verrais : une maison en train de se vider. Des boîtes en carton bêtement ouvertes sur le sol; des vêtements – pantalons de costume, chemises, cravates, vestes – sortis de leur housse et déposés sur le lit, de gros sacs-poubelle noirs à côté de la penderie, remplis des choses trop usées ou trop personnelles pour être données ou vendues : objets cassés, vêtements avachis, troués, chaussures éculées, slips, chaussettes. Il y aurait un matelas redressé contre le mur; il y aurait des ferrailleurs qui déplacent un poêle, une machine à laver; il y aurait cette odeur, acide comme la tristesse ou comme la maladie, et un linge taché de sang dans une bassine en plastique; des mots se balade-raient dans les pièces pour donner une forme consensuelle au chagrin. Je le sais. Quand mon père est mort, la même odeur s'échappait de sa maison qu'on vidait.

Parfois, quand je me mets à croire que Martin et moi pourrions rester ensemble plusieurs années encore, je m'imagine veuve, Martin mort depuis une semaine, depuis un mois, depuis trois ans, depuis dix ans. Ma douleur se tasse avec les années : je refais ma vie. J'aime cette expression, ça donne l'impression que la vie est comme un lit qu'on peut rafraîchir de draps neufs quand ça nous chante. Je refais ma vie, oui, mais je vieillis accompagnée des fantômes de la vie qu'aurait été la nôtre si Martin n'était pas mort. J'ai bientôt cinquante ans. Souvent, l'après-midi, quand je suis seule, je sors l'album photo de ma vie avec Martin, m'assieds dans la cuisine, sur le coussin brun d'une chaise en bois, et je tourne les pages en me demandant si j'aurais pu être heureuse toutes ces années avec seulement lui. Je m'arrête sur une photo de Martin prise à Paris à nos débuts ; je pose deux doigts sur son visage comme si mes doigts étaient les jambes d'un personnage ; mes doigts parcourent ses ridules ; ils forment plusieurs ronds autour de ses yeux, avant de descendre le long de l'arête du nez. S'ils trébuchent, ils tomberont tout droit dans sa bouche, avalés par le trou noir entre ses dents. Mais ils ne trébuchent pas. Ils s'arrêtent sur les lèvres de Martin et j'entends sa voix murmurer quelque chose au sujet de mes yeux. Je me retourne, balaie plusieurs fois la pièce du regard. Il n'y a personne. Je regarde à nouveau la photo de Martin. Il dit : « Tes yeux ne me voyaient pas tel que j'étais » ; il dit ça sans bouger les lèvres. Je réponds : « Mais si, bien sûr que mes yeux te voyaient. » Il continue : « Ils me regardaient comme s'ils cherchaient quelque chose qui aurait été là avant. » Je demande : « Avant quoi ? » Et nous rions en nous rappelant cette vieille dispute dont nous avons si souvent reparlé depuis, comme nous avons toujours réussi à le faire avec les disputes une fois qu'elles étaient derrière nous. Puis Martin cesse de rire : « Avant moi. » Quand je me représente cette scène, je suis assise dans une cuisine beige ou brune, avec des voilages en dentelle aux fenêtres, encadrés de rideaux orange comme sur les photographies des cuisines de mon enfance. Je regarde le portrait de Martin et je me demande si j'ai réussi à l'aimer suffisamment au jour le jour, et je crois ne pas me tromper si j'imagine son fantôme me répondre que non.

« Tu ne te rends pas compte, Céline. Tu ne nous as pas laissé une chance de nous en sortir. »

Je dis que non, je ne me rends pas compte. Et puis il me demande si c'est parce que j'avais peur de trahir mon père que notre vie a pris ce tournant. Je dis : « Quel tournant ? » Et puis : « Non, non, ce n'est pas pour ça. »

À ce moment, la porte de l'entrée claque, les enfants arrivent de l'école, jettent leur sac, courent dans le couloir en chahutant. Martin s'éloigne. Je dis : « Attends, attends, Martin. » Mais son visage a disparu de la photo. À la place, il y a une phrase : « Les morts ont-ils à ce point besoin des vivants ? » Je l'interprète un peu comme un reproche envoyé par Martin à celle qui a toujours fait passer les morts avant les autres.

Les enfants entrent dans la cuisine, disent salut m'man, chipent sur la table une part du gâteau encore tiède avant même que j'aie eu le temps de les envoyer se laver les mains. Je referme l'album photo et le range avec les livres de recettes, force des baisers dont mes enfants ne veulent plus. Je pose le torchon sur le dossier de la chaise et je regarde la trotteuse avancer sur la pendule. Ce n'est pas que Martin était le seul homme de ma vie, c'est que les morts gagnent toujours contre les vivants.

/ 6

Quand mes parents se sont séparés, ma mère a refait les albums de famille. Il n'y a pratiquement plus de photos de mon père dedans – parfois une silhouette en arrière-plan, ou de dos – si bien que personne ne pourrait deviner lequel des hommes apparaissant au fil des pages est le père des enfants que nous sommes. De temps en temps, elle dit : « J'aurais préféré ne jamais le rencontrer », et j'ai l'impression que, mes sœurs et moi, on devient un peu friables, et que ce sera bientôt au tour de nos photos d'être bannies. Mais j'exagère. Ma mère nous aime trop pour nous rayer de son histoire.

Peut-être finirai-je aussi par trier mes photos pour construire un album fidèle à la mémoire que je souhaite conserver du passé. C'est pour ça qu'il faut prendre beaucoup de photographies, et souvent. Pas seulement pour se souvenir. Mais pour avoir l'embarras du choix quant à leurs possibles agencements.

Quand j'en saurai assez sur mon avenir avec Martin pour le figer dans cet album définitif, je pourrai trier mes photographies. Mais, pour l'instant, je suis incapable d'en jeter une seule. Peut-être ai-je juste peur d'oublier les visages. Même les photos ratées m'aident à échapper aux pièges de ma prosopagnosie. C'est un très beau nom derrière lequel se cache une maladie neurologique qui me rend inapte à reconnaître certains visages. Avec mon ex, c'était tellement problématique que je me débrouillais toujours pour arriver avant lui à nos rendez-vous afin de ne pas avoir à le chercher dans la foule. Une fois que je l'attendais à la sortie du métro, un homme s'est avancé vers moi en souriant et je me suis jetée dans ses bras pour l'embrasser. Mon ex qui s'approchait n'a pas du tout apprécié.

Ça ne m'est jamais arrivé avec Martin. Je connais ses traits comme s'ils étaient un paysage de mon enfance. Ça a l'air con à dire, mais c'est exactement ça, son visage est un paysage connu ; il a infusé quelque chose de persistant dans ma mémoire. Parfois, je me demande si c'est parce que ses yeux ont ce je-ne-sais-quoi du regard de mon père sur sa photo de passeport. Sur cette photo, mon père fixe l'objectif avec un mélange de colère et de tristesse, comme s'il savait déjà qu'il ne ferait pas le voyage au Canada pour lequel il demande ce passeport, et que ce serait de ma faute. C'est la dernière photographie qui a été prise de lui. Un an avant sa mort.

Martin ne me regarde jamais comme ça, comme si son

malheur était de ma faute. Mais sur cette photo parisienne, qui se trouve dans l'album imaginaire que je constituerai après sa mort, Martin pourrait facilement avoir l'air de quelqu'un qui s'apprête à beaucoup souffrir, même s'il est trop jeune pour le savoir. C'est encore plus flagrant si je me concentre sur les ridules qu'il a au coin des yeux et à la commissure des lèvres. Pour l'instant, c'est une belle photographie de lui. J'en découvrirai le plein potentiel narratif dans vingt ans, peut-être trente ou même quarante, quand notre amour aura pris sa forme définitive, et que Martin ne pourra qu'être mort ou amer d'avoir été si longtemps si mal aimé.

/ 7

Magritte a envahi mon quartier. Des reproductions de ses peintures sont collées sur toutes les colonnes en béton devant l'édicule du métro. Ce sont des photocopies en noir et blanc de mauvaise qualité. Je m'arrête devant une version du *Modèle rouge,* je sors un marqueur de mon sac et j'écris : « Ceci n'est pas la tête de mon père. » « C'est très drôle », dit une voix à côté de moi. Je tourne la tête. Un homme d'une trentaine d'années, belle gueule, cheveux bruns, l'air d'un musicien ou d'un vendeur d'adhésions à Greenpeace, me demande s'il peut prendre l'affiche pour l'accrocher chez lui. Je l'arrache, l'enroule et la lui tends. Il dit merci et on se met en route vers le marché sans savoir vraiment qui a pris l'initiative de suivre qui. J'achète un rôti de bœuf, des champignons, des patates, des œufs, du bacon, du basilic, des tomates, de l'ail, de la tomme de brebis, du lait, des fraises. Lui, rien. On parle facilement – de sujets existentiels dont on discute rarement avec les gens qu'on connaît bien. À moins qu'on ne connaisse jamais les bonnes personnes. Quand j'ai fini mes courses, il m'accompagne tranquillement vers chez moi comme si on savait tous les deux où on allait.

Je finis par dire que je suis arrivée quelques maisons avant la mienne. Il me donne mes sacs, griffonne son numéro sur un bout de carton qu'il arrache de son paquet de cigarettes. Il dit : « Sans blague, appelle-moi. » Je réponds d'un sourire, j'ai l'impression que mon ventre est rempli d'eau chaude, c'est une sensation agréable, je me retourne, fais quelques pas vers la maison, et puis je l'imagine le matin, ses chaussons rangés sous le lit, qu'il enfile pour aller faire le café, et c'est le vide à nouveau.

J'arrive devant mon immeuble, les bras chargés de sacs que je prends de la main gauche pour glisser la droite dans la boîte aux lettres, rien. La porte grince quand je l'ouvre. Martin n'a pas appelé de la journée. Je pose mes sacs par terre, longe le couloir sombre. Je pousse la porte de ma chambre. Elle est silencieuse et immobile.

Marguerite Duras vivait toute seule dans une grande maison à Neauphle-le-Château, pas très loin du village où mon père a grandi. Elle écrivait : « La solitude, c'est ce sans quoi on ne fait rien », et elle écoutait le plancher craquer dans sa maison à deux étages. Moi, je n'aime pas la solitude des grandes maisons parce qu'elle n'est jamais tranquille ; elle est habitée de pièces aveugles qu'on ne cesse de visiter pour s'assurer que personne ne s'y cache. En fait, même dans mon deux et demie, je n'aime pas la solitude. Je mets la télé dans une pièce, la radio dans l'autre, je fais la vaisselle, passe l'aspirateur, arrose les plantes, prépare un gâteau, planifie des activités, prends des rendez-vous médicaux, en boucle. Et quand ça ne suffit pas, j'attrape mon manteau et je sors, dans l'espoir qu'un regard posé sur moi me prouve que je ne fais pas tout ça pour rien, me laver, m'habiller, manger, changer mes draps, vivre.

Parfois, je m'arrête dans un café pour lire un bouquin. Je m'installe à une petite table, si possible dos aux autres clients, mais près d'eux, pour saisir des bribes de leurs conversations. Ça me donne l'impression qu'il ne tiendrait qu'à moi de me retourner et de partager avec eux mon point de vue sur la chambre du bébé, la relation de leur amie Paule avec ce Marc, ou alors seulement pour acquiescer de la tête en soufflant sur mon chocolat chaud pendant que l'une dit qu'elle voit très clair dans le jeu d'Untel, et qu'elle n'est pas du genre à se faire avoir.

/ 8

J'ai mis le *Concerto italien en fa majeur*, BWV 971, dans le salon. L'enregistrement est mauvais. J'ai dû monter les basses. Le piano racle ses notes et les marteaux tapent violemment sur les cordes. J'enchaîne avec la *Sonate en ut majeur pour violon seul*, BWV 1005. Ça m'amuse d'imaginer que Bach a donné à ses pièces des noms de plaques d'immatriculation parce qu'il aimait les voitures et qu'il était mal à l'aise avec les émotions. Pourtant ce que j'aime chez Bach, ce sont les émotions brutes. Plus je monte les basses et plus j'aime Bach. J'aime Bach quand il grésille et sature.

Tout à l'heure, j'ai finalement ouvert la boîte où je garde les objets qui me restent de mon père. Comme je m'y attendais, sa pipe n'y était pas, mais il y avait son couteau de poche et un sac Ziploc contenant un passeport et la carte de Magritte. J'ai sorti le passeport du sac et je l'ai ouvert directement à la page de la photo. Je n'ai pas regardé les autres pages, toutes les pages vides de tous les voyages que mon père n'a pas faits, le voyage au Canada qu'il n'a jamais fait pour me rendre visite. Il avait commencé à l'organiser avec l'aide de ma sœur Christelle. Elle m'avait appelée, et je lui avais opposé une fin de non-recevoir. Héberger mon père dans mon appartement, vivre avec lui, deux jours ou une semaine, c'était inimaginable. Un seul voyage, un seul pays, ce n'était pas trop demander, pourtant ; avec le recul, je ne comprends pas comment j'ai pu le lui refuser.

Sur sa photo de passeport, mon père a quarante-six ans. Si je montrais cette photo à des gens, personne ne le croirait. Les gens diraient qu'il a l'air d'en avoir vingt de plus. Par contre, ils diraient aussi qu'il a l'air gentil. Son ami Philippe disait de lui qu'il avait le cœur gros comme une caravane. Il n'a jamais vu cette photo. Il n'a pas vu ce passeport vide. La douleur que contiennent ces yeux. C'est une photo qui parle de toute la souffrance que mon père a accumulée durant sa vie, les dernières années surtout ; une photo où il demande à chaque regard qu'il croise – et c'est souvent le mien – pourquoi il a été si seul. C'est sûr que c'est le genre d'image qu'on préférerait rayer de ses souvenirs, mais on ne peut pas, parce que c'est la seule dont on dispose. Si j'avais eu un smartphone au moment de sa mort, j'aurais pris une photo de lui à la morgue. Ça aurait été plus supportable.

J'ai mis de côté le passeport de mon père et j'ai cherché les yeux minuscules de Martin sur un photomaton qui traîne sur mon bureau et qui propose quatre versions noir et blanc de notre amour. Sur les deux premières images, Martin est de profil et me regarde pendant que je détourne la tête. Sur la troisième, il m'embrasse. Sur la quatrième, je ne suis plus là et Martin fixe l'objectif. J'ai sursauté en croisant son regard ; même format de photo que celle de mon père, même composition, même pose, même barbe, mais pas du tout les mêmes yeux. Les yeux de mon père sont creusés de tristesse et de colère, ils sont asséchés alors que ceux de Martin sont pleins, pleins de choses qu'il a envie de communiquer, tristesse comprise, mais pas seulement. C'est comme si les yeux de Martin n'avaient pas encore été essorés, et que je n'avais pas osé m'en rendre compte.

Ça m'a donné une idée. Je suis allée chercher mes feutres dans ma chambre. J'ai pris du noir, du rouge, du bleu, du jaune, du marron. J'ai dessiné des moustaches en guidon sur la photo de passeport de mon père, un haut-de-forme et un col de veste, j'ai redressé sa bouche en un large sourire, ajouté des points noirs sur le nez, du bleu sur les paupières. Je n'arrivais plus à m'arrêter. J'ai maquillé Martin aussi. J'étais sur une bonne lancée, alors j'ai sorti la carte de Magritte du sac en plastique, je l'ai ouverte, et j'ai relu chaque phrase, une par une, comme si elles avaient été écrites par une autre que moi, et que ce n'était pas mon père qui les avait reçues ; j'ai répété certaines phrases à voix haute ; elles étaient belles et je me suis autorisée à penser que la personne à qui elles étaient destinées avait pleuré de joie en les lisant. Après, j'ai posé le gros marqueur noir à l'extrémité de la première ligne, sur le P de « Papa », et je l'ai fait glisser sur les lettres les unes après les autres jusqu'à ce que j'arrive au bout du mot. Ça m'a fait froid dans le dos. Je me suis demandé si les choses existaient même quand il n'en restait plus aucun morceau ni aucune trace.

J'ai atteint la ligne du dessous, j'ai posé le marqueur sur le début de la ligne, sur le J de « Je t'envoie ce tableau de Magritte, c'est le prétexte que j'ai trouvé pour t'écrire, moi qui en ai envie depuis si longtemps... », et j'ai fait glisser le marqueur sur les lettres les unes après les autres. Je me suis demandé si mon père continuerait d'exister après, quand il ne resterait plus rien de lui, et comment, moi, j'existerais le jour où je ne pourrais plus me mettre au bout de son histoire, parce qu'elle serait totalement effacée. Faudra-t-il que je me réinvente une filiation ?

J'ai levé la main pour barrer la ligne suivante, et la ligne d'après, et encore celle d'après, jusqu'à ce que la page de gauche soit couverte de lignes noires parallèles, et j'ai fait pareil avec la page de droite, jusqu'à ce que la carte ne soit plus vraiment une carte qu'une fille avait envoyée à son père avant qu'il meure. Et puis finalement j'ai mis un disque de Fever Ray parce que, dehors, un orage se préparait.

/ 9

Le téléphone n'arrête pas de sonner, mais je ne réponds pas. Je pense à mon père. Je pense qu'on peut se lever tous les matins, travailler, manger, parler, sourire, et être mort quand même. Le téléphone sonne. Je me dis que c'est ce qui a tué mon père : le quotidien qui s'effrite, les yeux qui cherchent par la fenêtre, les caresses à l'eau de Javel, et bientôt on parle sans s'écouter, de ta journée et de la mienne, on parle de notre agenda, avec des heures en début de phrase et une liste d'activités ; ou peut-être que ce n'est pas du tout ça.

Le téléphone sonne. Je me souviens du geste que faisait mon père, quand on était avec du monde. Il s'approchait de ma mère et lui demandait un baiser, ou lui touchait un sein. C'était sans délicatesse ni sensualité. Elle tentait mollement de se dégager, grognait : « Arrête, Mario », mais c'était sans conviction, et elle riait, comme si l'humour était sa seule défense pour tenir mon père à distance.

Le téléphone sonne. Je ne veux pas mourir comme mon père. D'avoir eu trop peur, d'avoir trop cédé. Je ne veux pas que le silence s'installe quand nous aurons vidé les mots de leur substance à force de les utiliser pour remplir nos conversations. Je ne veux pas mourir avec des regrets lourds comme une pelletée de neige mouillée. Je ne veux pas céder à cette vie-là parce qu'elle est plus simple ou parce que c'est plus sûr. Je m'assieds le dos contre la porte, et je parle à la photo de Martin, je lui parle des yeux que j'ai partout, au bout de chaque doigt, sur le ventre, sur les seins, sur la plante des pieds, je lui dis qu'il faut beaucoup de paysages pour combler tous ces yeux.

On frappe à la porte et je n'ouvre pas. Je me souviens de ce que mon père m'a dit, quelques semaines après que ma mère est partie : « Je vais lui demander de revenir. » J'ai failli lui parler de bouquets de roses, de restaurants, de bals, de séances de cinéma ; mais il a ajouté qu'il ne s'en sortait pas sans elle, que le linge sale s'entassait, que la maison était dégueulasse, et j'ai pensé à ce moment-là que j'espérais ne jamais être aimée comme ça, par besoin. Mais est-ce que ce n'est pas toujours un peu ça ? Et est-ce qu'on sait vraiment, quand on aime, si c'est pour les bonnes raisons, et de la bonne façon ?

On frappe.

— Ouvre !

Une clé tourne dans la serrure. La porte s'entrebâille, bute contre mon corps recroquevillé. Quelqu'un tente de passer sa tête dans l'interstice et cherche du regard ce qui peut bien bloquer la porte, tombe sur moi, assise par terre.

— Hein ! C'est pas vrai !

J'écarquille les yeux aussi grand que des assiettes.

— Je ne veux pas que tu finisses comme mon père, Martin.

— Tu débloques complètement, me répond-il. Allez, pousse-toi.

Il m'enjambe et traverse le fantôme de mon père, qui

s'était installé dans le couloir pour me tenir compagnie. Je ne dis rien à Martin. Il va jusqu'à la cuisine, ouvre la fenêtre et la porte du balcon, dépose un sac brun sur la table, fait couler de l'eau, déplace de la vaisselle, et puis il revient, il s'accroupit, m'attrape par les épaules, descend ses bras jusque dans mon dos, me tire vers son torse, et il me serre contre lui. J'entends le sifflement de la cafetière italienne, et Martin qui me demande si je veux vivre avec lui. C'est difficile à croire, mais je suis heureuse. C'est ce que je lui dis en sanglotant. Et je dis oui. Et puis je lui dis que je l'aime. Mais ne te méprends pas, je dis je t'aime pour cette seconde, surtout pas pour celle d'après.

Le changement de domicile dont la déclaration n'est en aucun
cas obligatoire, est mentionné sur demande faite au Commissaire
de police ou, à défaut, au Maire du nouveau domicile.

Nouveau domicile

Le   Le Commissaire de police
                                              Le Maire

Nouveau domicile

Le   Le Commissaire de police
                                              Le Maire

RÉPUBLIQUE FRANÇAISE

SOUS-PRÉFECTURE
DE RAMBOUILLET

CARTE NATIONALE
D'IDENTITÉ

Valable dix années à partir
de la date d'émission

N° 334461

TIMBRE FISCAL 15,00

XV65661

Né le   1ER JANVIER 1957
à   THIVERVAL GRIGNON
                    -78-

NATIONALITÉ FRANÇAISE

Taille   1M76   Signature du titulaire
Signes   /
particuliers
Domicile   8 Rue de la Fontaine
                    Quenette
                    78 GARANCIERES

Fait le   9 JUIN 1987
par

LE SOUS-PRÉFET
Pour le Sous-Préfet
Le Secrétaire Général

ANALYSE GRAPHOLOGIQUE

Sylvie Chermet-Carroy
Graphologue

Paris, le 19 juin 2014

Dans la signature que vous m'avez donnée à interpréter, ce qui ressort d'abord, c'est sa belle dimension alors qu'elle a été faite sur une pièce d'identité, un support sur lequel la signature est habituellement réduite à un espace limité. Ici, on a quelqu'un qui prend toute la place qui lui est donnée, et qui va même au-delà. Ça nous signale que, dans sa vie, cette personne a envie de prendre la place qui s'offre à elle. On a déjà cette indication.

La pression va être intéressante aussi. Elle traduit notre façon de vivre, de manifester notre énergie. Ici, il y a une belle pression. Donc quelqu'un qui a de la vitalité. Mais si on regarde de plus près, ce n'est pas régulier. Dans le mouvement de retour des lettres, dans certaines boucles, le trait est beaucoup moins appuyé. C'est comme s'il y avait un contraste entre une grande force morale intérieure et un peu de vulnérabilité ou de doute, des moments où finalement l'individu hésite un peu à s'affirmer. En tout cas, sa façon de s'investir et de s'affirmer n'est pas constante, même si ça ne se voit pas de l'extérieur. C'est quelque chose qui se passe entre lui et lui.

Par ailleurs, on a une signature qui a un mouvement globalement montant. C'est horizontal dans les lettres et montant. Ça signale de l'entrain, de l'enthousiasme. Et puis, on remarque quelque chose d'assez étonnant, c'est qu'il a carrément dépassé le cadre de la carte, comme s'il avait terminé son trait sur la table. Ce n'est vraiment pas fréquent, surtout sur une carte d'identité, où l'on fait habituellement ce que l'on nous demande. Lui, on voit qu'il a d'abord bien positionné sa signature, puis qu'il s'est dit qu'il n'en avait rien à faire, qu'il pouvait faire comme bon lui semblait. C'est donc quelqu'un qui sait se fixer des limites, respecter une norme imposée par la société, mais pas trop longtemps. Il y a au fond de lui une révolte contre tout ce qui est limitation, cadre, frontière. Tout ce qui est de l'ordre de l'empêchement ou met des étiquettes. Il l'accepte en apparence, pour faire bonne figure, pour ne pas générer de problèmes, mais il en a horreur. C'est quelqu'un qui se révolte. Ça ressort de manière très forte.

Ce trait va à l'infini vers la droite. Si je reprends ce que je fais avec les dessins d'enfants, on appelle ce genre de trait un débordant, et ça a une signification. Ici, c'est vers la droite. Or, la droite, c'est le futur. C'est ce vers quoi on va. C'est le progrès, c'est l'avenir, c'est l'inconnu. Et ce que je trouve intéressant dans la signature de ce personnage, c'est qu'il y a ce débordement, mais aussi en même temps une certaine réserve, parce qu'on sent que les premières lettres sont appliquées, en tout cas maîtrisées dans la gestuelle.

On pourrait même parler de méfiance, avec le mouvement bien retenu des deux premières lettres. Ça pourrait presque être comme un logo à part dans la signature. Il est séparé de la suite par un petit espace vide. Et après, il y a cet élan extraordinaire vers le futur. C'est donc quelqu'un qui se veut prudent, mais il n'a qu'un idéal, c'est de foncer.

Son côté fonceur n'est pas forcément optimiste pour autant. Parce qu'on a des formes qui contiennent une certaine noirceur, même si c'est écrit en bleu. On lit un *j* et un *b*. Il arrive souvent qu'on voie apparaître dans une signature des lettres qui n'existent même pas dans le nom. On se demande alors pourquoi l'inconscient a fait émerger telle forme, telle lettre, à partir d'un geste spontané. Dans la signature que vous m'avez donnée, l'individu fait un *b* à la place du *h* de son nom. Il l'a fait avec un retour et une petite tache noircie dans la boucle, ce qui évoque un retour sur soi, des inquiétudes, un caractère qui ressasse les problèmes, un peu d'angoisse – une angoisse qu'il garde pour lui, car le trait se retourne sur lui-même. Au lieu de foncer, il va calculer, vérifier qu'il a bien fait les choses.

Le *h* est lié entre autres à la sociabilité, c'est notre respiration avec l'univers, c'est notre respiration avec le monde. La lettre *h* nous renseigne sur notre sociabilité et aussi sur notre estime de nous-même. Car pour prendre sa place dans un groupe, il faut un minimum d'estime de soi. Quant au *b*, c'est la méditation, la réflexion, le mûrissement des idées. Pour lui, la sociabilité n'est donc pas spontanée du tout, elle est étudiée, fabriquée. Ça ne veut pas dire que c'est quelqu'un d'artificiel ou factice, le mouvement de sa signature est très sincère. Mais il n'est peut-être pas si sociable que ça. Au fond de lui, il sait qu'il doit faire un effort pour aller vers ses semblables. En tout cas, sa sociabilité est un sujet auquel il réfléchit.

D'autres lettres sont escamotées. C'est une chose assez fréquente dans une signature. Étant donné qu'elle est censée être rapide, plus elle est reproduite, plus elle aura tendance à se déformer. Certaines formes seront combinées entre elles, pour parfois donner un dessin, une sculpture, un art abstrait. Du coup, chaque lettre représentée dans la signature alors qu'elle n'existe pas dans le nom est source de renseignement.

Par exemple on trouve dans cette signature un *j*, de grande taille. C'est une lettre liée à l'action, à la sexualité, dans le sens large du terme. C'est aussi l'affirmation de nos raisonnements, de ce à quoi on accorde de la valeur dans la vie. C'est la manifestation de l'engagement, de l'affirmation de soi. L'être humain affirme son potentiel, sa richesse, son identité. On trouve le *j* chez les gens autoritaires. Mais ici, c'est adouci : le *j* est puissant, mais avec des formes souples. Je trouve qu'il y a un équilibre entre le féminin et le masculin. C'est peut-être un peu plus masculin, avec l'énergie qu'il y a dans le jambage – le jambage, c'est le mouvement qui va sous la ligne, comme dans le *j* –, et puis ce mouvement très fort vers la droite. Mais il y a aussi une part que j'appellerais féminine, une part de sensibilité, d'émotion, décelée notamment dans l'instabilité du trait et qui montre un aspect beaucoup plus nuancé, que la personne entretient au fond d'elle-même. Ça peut être une sensibilité qu'elle n'exploite pas totalement. Artistique, par exemple. Je pense que c'est quelqu'un qui, par sa sensualité, est sensible à l'art. Mais avec une dimension concrète. Il aime peut-être fabriquer de beaux objets en bois, il est peut-être porté à améliorer l'aspect de certains objets, parce qu'il aime les toucher. D'ailleurs, le trait de l'écriture est assez sensuel. C'est un trait gras, épais. C'est quelqu'un qui sait profiter de la vie, qui sait savourer les bons moments. La partie médiane de l'écriture est tout en douceur, on n'a que de la rondeur.

S'il est vrai qu'il y a beaucoup de douceur, j'ai trouvé aussi de la colère dans ce mouvement très impulsif, qui fonce vers la droite. Le personnage est déroutant. Il accumule beaucoup de choses en lui, avec son côté réservé, contenu, mais il finit par les libérer sous forme de colère. On le voit parce que le trait qui remonte est très appuyé. Très rapide et appuyé, il part de façon imprévisible, même pour lui. Comme la colère. C'est une colère due à l'accumulation. Mais il n'y a pas de méchanceté, on n'a pas de pointe dans l'écriture. On n'a que de la rondeur, à part ce trait mystérieux qui fonce, et une petite pointe au-dessus de ce que j'appelle le *j,* mais c'est vers le ciel, vers l'esprit, comme un idéal.

On a par contre une hésitation entre ce que j'appelle le *b* et le *e* : ça fait une petite tache là où il a appuyé son stylo. Or, si vous signez d'un coup, le trait est net. Si vous hésitez, même une fraction de seconde, il va y avoir un petit empâtement dans le trait. On a donc quelqu'un qui fait attention à sa façon de se comporter. C'est une hésitation qui témoigne d'un manque de confiance. Ou une hésitation sur ce qu'il a vraiment envie de faire. Justement parce qu'il a toute cette belle énergie pulsionnelle qui le pousse à aller de l'avant, parfois même trop loin, ce qui peut l'inciter à se demander s'il doit agir ou se retenir. On peut supposer qu'il craint de ne pas pouvoir s'arrêter s'il démarre quelque chose. Que ce soit une action, un projet, la vie amoureuse, la création. Du moment qu'il est lancé, il ne sait pas où ça va l'entraîner. Comme pour sa colère.

En ce qui concerne ses origines, je trouve que c'est difficile. On a l'impression que c'est quelqu'un qui se veut simple, qui n'a pas envie de fioritures dans sa vie, qui n'a pas envie de faux-semblants. Une certaine simplicité dans la façon d'être, dans les choix de vie, parce que ça lui correspond. Profondément. Pas par contrainte. Mais je ne peux pas dire grand-chose de plus.

PERSONNAGES

LA MÈRE, *mère de Christelle, de Céline et d'Élodie*
CHRISTELLE, *l'aînée*
CÉLINE, *la cadette*
ÉLODIE, *la benjamine*
PHILIPPE, *l'ami de jeunesse et l'ex-beau-frère*
    de Mario
MARC, *le frère de la mère*
ANNETTE, *la sœur de la mère,*
    l'ex-femme de Philippe
JEANNE, *la sœur de Mario*
FRANÇOIS, *le mari de Jeanne*
YANN, *le conjoint de la mère*
UNE AMIE DE CÉLINE
UN VOISIN
UNE VOISINE

La famille est régie par des codes, un langage, des inter-
dits. On apprend par mimétisme à s'y soumettre. On n'ose
pas poser certaines questions, car personne ne les a posées
avant nous. Chacun finit par croire à l'existence d'un grand
secret dont la révélation briserait les liens familiaux, alors
que ce n'est pas ça. Ce n'est pas le secret qui menace la
famille, c'est la question qui n'a jamais été posée. Si on la
posait, plus personne n'arriverait à se raccrocher à sa petite
histoire, quand bien même aucune des réponses n'y apporterait quoi que ce soit de nouveau.

J'avais dressé une liste assez longue de personnes que je
souhaitais interroger pendant mon séjour en France, et mon
carnet était noirci d'adresses et de numéros de téléphone. Je
repoussais le moment de les appeler, parce que j'avais peur.

Les premières entrevues ont été particulièrement diffi-
ciles. Je croyais naïvement que j'allais emmener ma famille
là où ça craque. Mais je n'ai pas eu le courage de briser le
silence. Je n'ai même pas réussi à nous faire revivre les événements, à peine les avons-nous reconstitués. Alors je suis

retournée faire une seconde série d'entrevues, trois ans plus tard. J'ai voulu poser les mêmes questions aux mêmes personnes. Chacune serait libre de rectifier le texte au fur et à mesure de sa lecture. Chacune serait filmée.

Elles sont peu à avoir accepté de se plier à l'exercice. Certaines sont mortes ; d'autres ont refusé. Celles qui ont accepté vivent avec des souvenirs adoucis, leur amertume s'est tapie sous les anecdotes heureuses. J'ai pris les morts, les refus et les bons sentiments. J'ai fait avec.

Tout part de là : les témoignages ne sont pas des documents. Ce qui s'y révèle n'est pas la vérité de l'événement, mais la relation que la personne qui parle entretient avec lui.

Scène I

PHILIPPE, CÉLINE

Ils se sont donné rendez-vous sur le parking d'un super-marché, à quelques pas de l'appartement de la mère. C'est lui qui la voit le premier. Il lui fait un grand signe de la main en sortant de sa voiture.

PHILIPPE, *de loin* — Qu'est-ce que tu ressembles à la petite ! Je croyais que c'était elle.

Il ne dit pas « ta petite sœur ». Il dit « la petite ». Et le terme affectueux insiste sur la distance qui sépare Céline du reste de sa famille. Le temps, l'exil ont fait d'elle « celle qui ressemble à la petite ».

CÉLINE — Il paraît, oui. On se ressemble.

Elle lui demande si elle peut le tutoyer.

PHILIPPE — Bah oui, t'es comme ma fille. Je t'ai presque vue naître.

Il la prend dans ses bras tatoués d'ancres et de prénoms bleu délavé. Elle sourit. Elle cache sous ses sourires et ses bonnes manières ce qui en elle ressemble à cet homme.

PHILIPPE — Ma fille habite juste là, dans les nids d'abeilles. Mais je ne viens pas souvent. Je vis à Pontchartrain, maintenant. Entre le Sud et Pontchartrain.

CÉLINE — C'est plus beau, Pontchartrain ?

PHILIPPE — C'est pas ça.

CÉLINE — C'est les mauvais souvenirs ?

PHILIPPE — Oui. Je ne peux plus, ici.

CÉLINE — Qu'est-ce que tu ne peux plus supporter, ici ?

PHILIPPE — Je n'ai plus de nouvelles de personne. Plus de nouvelles de mes fils.

La semaine précédente, Céline a rendu visite à Annette, Greg et Alex. Ses cousins lui ont dit que c'en était fini des visites à leur père, qu'ils avaient trop souffert : « Il se manifeste seulement quand il a besoin de nous. »

PHILIPPE — À dix-huit ans, Greg a décidé d'arrêter de me voir. J'ai pensé, c'est l'âge, il a une copine, il a d'autres choses à faire. Puis, à dix-huit ans, Alex aussi a décidé de ne plus venir. Une fois, je suis allé chez Annette pour leur parler. Elle a prétendu qu'ils n'étaient pas là, mais je les entendais marcher à l'étage. « Dis-leur que s'ils en ont plus rien à foutre de moi, j'en ai plus rien à foutre d'eux. » C'est ce que je lui ai dit.

CÉLINE — Mais ce n'était pas vrai ?

PHILIPPE — Non. *(Il jette sa cigarette par terre.)* Je ne comprends pas pourquoi ils ne veulent plus me voir.

Ils ont dit aussi : « Il en avait déjà fait beaucoup. Mais le comble, ça a été à la mort de ton père. Il n'est pas venu à l'enterrement. On ne lui a pas pardonné ça. » Céline cherche les bons mots pour faire comprendre à Philippe ce qu'elle sait sans trahir ses cousins.

CÉLINE — Tu as peut-être fait quelque chose qui les a blessés ? Peut-être que tu n'as pas été assez présent à un moment ?

PHILIPPE — Ben non. C'est arrivé d'un coup. À leurs dix-huit ans. Avant, ils venaient.

Il allume une autre cigarette. Il dit : « Je fume, mais je ne bois pas d'alcool. Ton père, ça l'a tué. » Il commence par la fin.

PHILIPPE — Il m'a dit qu'il voulait voir mon frère. Je l'ai

appelé, je lui ai dit : « Dominique, il faut que tu viennes. »
Je ne pouvais pas lui expliquer, parce que j'étais devant ton
père, mais je lui ai dit que c'était important. Il est venu. En
sortant, mon frère m'a dit :

« T'as vu, il y avait plein de sang par terre. »

« Non, j'ai pas fait gaffe. »

« Il avait été essuyé, mais ça se voyait. »

J'ai appelé tes sœurs. Je leur ai dit qu'il fallait emmener
votre père à l'hôpital. Que c'était urgent. C'est la dernière
fois que je l'ai vu.

CÉLINE — Tu n'as pas eu l'occasion de le revoir ?

PHILIPPE — Ma belle-mère est morte, j'ai dû descendre
dans le Sud. Je ne savais pas trop quoi faire. Ton père se faisait opérer. J'étais inquiet. Ma copine m'a rassuré : « C'est
juste un examen, ils vont trouver ce qu'il a et il va aller
mieux après. » Ça ne s'est pas passé comme ça. J'ai voulu
aller le voir à l'hôpital. On m'a dit qu'il n'y avait que la
famille qui pouvait.

« Mais moi, quand même, je suis un peu comme la
famille... »

« On va se renseigner. »

Et puis on m'a dit qu'il était mort. Je ne l'ai pas revu.

Il pleure.

PHILIPPE — J'ai pas pu aller à l'enterrement.

CÉLINE — Parce que tu étais dans le Sud ?

PHILIPPE — Non, parce que c'était trop dur. J'ai pas pu remonter pendant deux mois et demi. Je suis resté dans le Sud. J'y arrivais pas. C'était mon meilleur ami.

Il essuie ses larmes du dos de la main.

PHILIPPE — Tu sais, je suis malade. J'ai la tête qui va plus très bien. Je fais du diabète. Et j'ai un problème avec une artère.

CÉLINE — Il faut que tu voies un médecin.

PHILIPPE — J'ai pas le courage. Et puis… j'ai plus le goût. Tous mes potes, ils sont morts. Hémorragie interne, cancer. J'ai plus envie. Ton père, c'était mon meilleur ami. On a fait les quatre cents coups ensemble.

CÉLINE — C'est quoi, le plus dur ? C'est la solitude ?

PHILIPPE — C'est pas la solitude. Il est là, ton père. *(Il se tape la poitrine du poing.)* Il reste avec moi. Même s'il ne croyait pas en Dieu, c'est quand même Dieu qui l'a rappelé à ses côtés. Non, c'est pas la solitude. Il est toujours là, à côté de moi. Il est toujours à tes côtés aussi.

Scène 2

CÉLINE, CHRISTELLE

Christelle s'est assise à la tête du lit, le dos calé contre le mur de la chambre. Ses cheveux blonds, lisses, sont détachés et tombent sur ses épaules. Elle est belle, sourit, le regard un peu inquiet. Les feuilles sont devant elle. Elle ne les a pas lues. Elle écoute Céline lui expliquer le déroulement de la seconde entrevue : «J'ai quand même dû couper un peu, parce que nous avions parlé plus de trois heures. Si ça te va, je te pose les questions et tu me donnes la réplique comme si je te faisais passer un casting. Tu n'es pas obligée de suivre le scénario à la lettre. Si tu as envie de modifier quelque chose, parce que tu ne te souviens pas de l'avoir dit, tu peux le faire. Si tu as oublié de dire des choses aussi. » Elle ajoute qu'il y a quelques pièges : elle a inséré dans le texte des questions qu'elle n'avait pas posées la première fois ; Christelle peut y répondre librement.

«Je pose la caméra ici. » Céline installe la caméra sur un trépied à un mètre de sa sœur. C'est un cadrage classique, plan poitrine, un peu de biais. De temps en temps, Chris-

telle plonge sur le côté, ramasse une tasse de thé par terre; elle réapparaît, porte la tasse à ses lèvres puis se courbe à nouveau pour la reposer sur le tapis à côté du lit. Elle dit à sa sœur que la mémoire est trompeuse, qu'en se corrigeant après coup comme ça, elle pourrait très bien être en train d'effacer la vérité. Sur la vidéo, on ne voit pas le visage de Céline qui répond : «Justement.»

CÉLINE — La dernière fois, nous avons commencé à discuter tout de suite, et j'ai oublié de te demander de te présenter, alors je me reprends. Peux-tu te présenter ?

CHRISTELLE — Je m'appelle Christelle Huyghebaert.

CÉLINE — Quel était ton lien avec papa ?

CHRISTELLE — C'est... c'était mon père.

CÉLINE — J'ajoute aussi une question que j'avais posée à l'époque à Élodie, mais pas à toi. Comment tu comprends mon projet ?

CHRISTELLE, *en riant* — Comment je le comprends ? Je le vois comme un projet artistique. Je crois que c'est aussi un travail qui t'est nécessaire pour que tu fasses ton deuil et te réappropries une personne qui, sur la fin, t'a échappé ou de qui tu t'étais éloignée. C'est comme une façon de la connaître autrement.

CÉLINE — Toi, est-ce que tu as l'impression d'avoir fait ton deuil ?

CHRISTELLE, *après une hésitation* — Je ne sais pas ce que ça veut dire, faire son deuil, mais...

CÉLINE — Ça ne te fait plus souffrir ?

CHRISTELLE — Si ça veut dire ça... alors oui, j'ai fait mon deuil. Je l'ai fait un an après la mort de papa, mais je l'ai fait. Avant ça, j'étais dans le déni. *(Courte pause.)* Enfin, c'est juste les mécanismes de chacun pour survivre. Moi, je mets de côté pendant un moment.

CÉLINE — Au moment des obsèques ?

CHRISTELLE — Les obsèques, c'est un rituel. C'est un rituel qui ne me correspond pas, mais c'est social. T'es obligée d'être là. Si t'es pas là à l'enterrement de ton père, les gens, forcément, ils te jugent.

CÉLINE — Je ne sais plus qui m'a raconté qu'il avait assisté à une veillée mortuaire. Le corps est resté dans une chambre pendant toute une semaine. *(Christelle fait un rictus de dégoût.)* La famille proche le veillait. Et c'est la famille éloignée qui s'occupait des papiers administratifs, de l'organisation des funérailles et même des courses, de la cuisine, du ménage. Au fil des jours, à force d'être avec son corps dans la chambre, les proches s'habituent à la mort de la personne et peuvent la laisser partir plus facilement.

CHRISTELLE — Je crois que ça ne me correspondrait pas du tout.

CÉLINE — Ah non ?

CHRISTELLE — Moi, j'ai besoin de... de fuir un peu.

CÉLINE — De fuir ?

CHRISTELLE — D'oublier, de me recentrer sur autre chose.

CÉLINE — Sur le quotidien ?

CHRISTELLE — Ouais. Je sais qu'après le décès de papa, je suis beaucoup sortie, je voyais plein de monde. Je n'avais pas envie de faire mon deuil à ce moment-là.

CÉLINE — Mais ça te rattrape ?

CHRISTELLE — Oui. Mais je pense que c'est moins violent quand ça me rattrape plus tard.

Elle pose les feuilles sur ses genoux, elle regarde sa sœur : « En même temps, j'ai déjà les larmes aux yeux, alors je ne crois pas que ce soit complètement fait. Mais disons que je vis avec ce poids et les douleurs qui restent. Je pense que rien n'est jamais complètement résolu. »

À la fin de l'entrevue, quelques secondes avant que Céline coupe la caméra, Christelle ne lit pas quand elle dit à Céline : « Je crois que maman n'est pas du tout prête à refaire son entrevue. Je ne sais pas s'il faut vraiment la forcer. » Les mots sont timides, mais dans son regard, il y a une telle fermeté que Céline sent, entre ses deux côtes, là, sous le sternum, une culpabilité qu'elle a de plus en plus de mal à chasser. Elle répond seulement : « Je sais. »

Scène 3

CÉLINE, LA MÈRE

Céline a rejoint sa mère dans la cuisine. Elle lui a demandé de lire deux ou trois pages de sa première entrevue avant de prendre sa décision. La mère prépare du café à petits gestes concentrés. Elle évite de croiser le regard de Céline, qui essaie de faire la conversation pour la mettre à l'aise.

CÉLINE — Tu te souviens du matin de l'entrevue ? Tu m'as dit que tu avais fait un cauchemar.

LA MÈRE — Je m'occupais de trois enfants dans une pièce dont toutes les portes étaient bloquées. C'était le bordel à l'intérieur, les placards étaient ouverts, des paquets de gâteaux avaient été éventrés, les miettes éparpillées partout sur les comptoirs, et moi, j'étais coincée là.

CÉLINE — À l'époque, as-tu fait un lien entre ce rêve et les questions que je voulais te poser sur papa ?

67

LA MÈRE — Oui, car le passé est toujours en nous, on pense qu'il est loin, mais il est toujours présent, on vit avec.

CÉLINE — Et puis, plus tard, quand je t'ai demandé à quelle heure tu voulais qu'on commence l'entrevue, tu m'as dit...

Sans s'asseoir, la mère se penche sur les feuilles, qu'elle avait laissées sur la table, et commence à lire.

LA MÈRE — Écoute, j'ai réfléchi, je ne veux pas le faire.

CÉLINE — C'est un projet vraiment important pour moi, maman ; j'ai besoin de connaître mon père.

LA MÈRE — Tu le connaissais, ton père.

CÉLINE — Pas l'être humain, pas l'homme. Je connaissais juste le père.

LA MÈRE — Les enfants n'ont pas besoin de connaître leurs parents de cette façon-là.

CÉLINE — Moi, j'en ai besoin. Je vivais à Montréal quand il est mort. Je suis passée à côté de trop de choses.

LA MÈRE — Demande à tes sœurs.

CÉLINE — Elles ne l'ont pas connu de la même façon que toi.

La mère se redresse. Le café est prêt. Elle en verse fébrile-ment dans des tasses qu'elle apporte au salon. Céline la suit, ses feuilles et son magnétophone à la main.

CÉLINE — Tu m'as répondu: «Je ne peux pas le faire» et tu t'es mise à pleurer. Moi, j'ai pris mon téléphone et je suis partie de la maison en claquant la porte. J'ai marché pour essayer de me calmer, mais je ne me calmais pas. Soudaine-ment, je ne voyais plus pourquoi je m'étais mis en tête de faire ça, partir à la recherche de vos témoignages, et j'ai eu envie de tout laisser tomber, de remonter dans un avion pour Montréal en abandonnant cette idée derrière moi. J'ai appelé Martin. Je lui ai dit que les entrevues ne se pas-saient pas du tout comme prévu. Il a répondu que je pouvais arrêter à n'importe quel moment. Et j'ai cessé de pleurer tout en sachant qu'il avait tort et que je ne pouvais plus arrêter. Puis nous avons parlé de ce dont nous parlons tou-jours quand l'un de nous deux est en voyage : nous avons comparé la météo ; j'ai pris des nouvelles de son chat ; j'ai avoué regretter le manteau rouge si chaud que je n'avais pas trouvé assez élégant pour Paris. Et quand j'ai raccroché, j'ai continué à marcher jusqu'à ce qu'il n'y ait pas seulement la colère qui soit usée, mais aussi la peur de vous déranger et de prendre trop de place. Et je suis revenue sur mes pas. Quand je suis arrivée, on s'est prises dans nos bras. Tu m'as dit que tu avais eu peur qu'on ne se parle plus jamais et je t'ai répondu : «C'est ridicule.» On est restées dans le couloir, à moins d'un mètre de la porte d'entrée, pendant que je te parlais de mon projet. Je t'ai expliqué que je ne me souvenais plus de ce que papa avait raconté sur son enfance. « Ah, mais ça, je peux, tu as dit. Ce que je ne peux pas, c'est parler de notre vie commune. » Tu t'es remise à pleurer : « Je suis sûre qu'on a eu plein de bons moments, mais tout a été effacé. » Puis tu as dit : « C'est trop dur. »

« Je comprends, j'ai répondu. Tu as le droit de refuser de répondre aux questions qui te dérangent. C'est toi qui décides. Je veux juste savoir qui il était. »

« Ça, je peux. Oui. Tu sais, peut-être, petit à petit, je vais m'ouvrir. Si ton grand-père n'avait pas tout gâché. C'est lui qui a gâché notre vie. »

Nous sommes allées nous asseoir ici, toi sur le canapé, moi en face, dans le fauteuil. À cause du voyant rouge du magnétophone posé sur la table, on était mal à l'aise. On prenait une voix qu'on aurait voulu faire passer pour la nôtre.

Céline corrige le texte : «pour la vraie». Elle prend une gorgée de café. Il est bouillant, comme elle l'aime.

CÉLINE — Est-ce que tu te sens aussi nerveuse aujourd'hui ?

LA MÈRE — Non. Non. Mais je ne veux pas refaire l'entrevue. *(Pause.)* Je l'ai faite la dernière fois, mais c'est trop dur.

Silence prolongé.

LA MÈRE — Je sais que tu m'en veux, mais...

CÉLINE — Mais non, maman, je comprends...

LA MÈRE — Si vraiment il faut le faire, je vais le faire.

CÉLINE — On ne va pas le faire, maman. Je sais que je t'en ai déjà beaucoup demandé.

La mère ne la laisse pas finir et l'enlace ; d'une voix trem-blante, elle dit merci. Céline reçoit l'étreinte, raide. Elle voudrait avoir la décence de s'arrêter là. La culpabilité qu'elle traîne avec elle depuis qu'elle a commencé ce projet, c'est une petite boule verte et piquante qui tape sur sa peau par coups brefs et répétés toujours aux mêmes endroits, jusqu'à ce que le moindre frôlement devienne intolérable.

CÉLINE — J'ai oublié de te poser certaines questions la dernière fois et je le regrette. Est-ce que tu accepterais d'y répondre par écrit ?

LA MÈRE, *fatiguée.* — Oui, bien sûr. Pas maintenant. Mais plus tard, oui.

Céline reprend les feuilles sur la table et en retire les pages contenant les questions inédites. Elle espère encore décou-vrir des événements cachés qui rendront cette histoire moins banale. Elle pense à ce passage de Supplément à la vie de Barbara Loden, *dans lequel Nathalie Léger essaie d'expliquer à sa mère pourquoi elle a tant de mal à écrire une biographie sur Barbara Loden. Sa mère s'étonne : « C'est si difficile de raconter simplement une histoire ? » Nathalie Léger répond par une question : « Qu'est-ce que ça veut dire ‹raconter simplement une histoire› ? » Et la mère, sûre d'elle, « cite* Anna Karénine, Les illusions perdues *ou* Madame Bovary, *elle dit que ça veut dire un début, un milieu et une fin, surtout une fin ».*

Scène 4

Depuis le début de cette enquête, les choses les plus importantes adviennent hors champ. Chez Élodie, c'est le récit de la querelle entre la tante Jeanne et la mère qui démarre alors que Céline n'a pas eu le temps d'installer la caméra sur son trépied ; et il ne peut plus s'arrêter, ce récit, comme un vélo dont les freins ont lâché.

ÉLODIE — Maman et moi, on est allées chez Jeanne. Maman voulait l'informer du divorce et lui dire qu'on déménageait. Papa garderait la maison le temps de trouver un appartement.

Jeanne n'a pas réagi comme l'espérait la mère. Elle s'est emportée, les a prévenues qu'elle n'essuierait pas les plâtres, cette fois. Elle avait accueilli son père et l'avait hébergé jusqu'à ce qu'il meure. Elle n'en ferait pas autant pour son frère. Peut-être n'a-t-elle pas été aussi explicite. Mais Céline a maintenant ces phrases en mémoire quand elle pense à cette scène à laquelle elle n'a pas assisté.

73

CÉLINE — Tu as eu le temps de lire l'entrevue, cette semaine ?

ÉLODIE — Oui, je l'ai lue tranquillement quand j'étais toute seule.

Élodie tient les feuilles. Elle a raturé certains passages et en a ajouté d'autres. La caméra, posée arbitrairement sur la table, filme ses mains.

CÉLINE — T'as trouvé des fautes ?

ÉLODIE — Non, c'est juste que je... certaines phrases que j'ai dites...

CÉLINE — Tu ne te rappelais pas ?

ÉLODIE — Pas du tout.

CÉLINE — Tu sais que tu peux retirer les choses que tu ne veux pas voir apparaître.

ÉLODIE — C'est vrai que je ne me souvenais plus de certaines phrases.

Élodie parle des choses qu'elle a dites trois ans auparavant et dont elle ne veut pas que quiconque se souvienne – pas même elle. Céline est prise d'une toux piquante; chaque fois qu'elle essaie de répondre à sa sœur, la toux griffe les mots dans sa gorge et les étouffe. Elle pense à la qualité sonore de cet enregistrement : foutue. Tant pis. Elle quitte la salle à manger, va se chercher un verre d'eau, essaie encore d'émettre une phrase intelligible, qui se mue en un sifflement ténu. Puis sa voix revient. Pendant ce temps, Élodie parle toujours. Elle parle d'un certain Michel Huyghebäert, qu'elle a rencontré par hasard alors qu'elle était hospitalisée.

ÉLODIE — Du peu de recherches que j'ai faites, je sais qu'il est né dans la même ville que grand-papa, et qu'ils avaient la même mère. Et ça, je l'ai écrit à Jeanne. Je me souviens, j'avais écrit une lettre, je suis allée la déposer sur le pas de sa porte, j'ai sonné puis j'ai redescendu à fond les escaliers parce que je ne voulais pas qu'elle... De toute façon, la lettre était signée. Mais voilà, personne ne m'en a reparlé.

Céline a du mal à suivre. Sa sœur parle trop vite.

CÉLINE — Et ce Michel, tu l'as revu ?

ÉLODIE — Ben oui. Quand je l'ai rencontré, j'étais au centre de rééducation en cardiologie. Ils ont inversé nos dossiers et ils lui ont donné mon traitement. C'est là qu'on m'a dit que j'avais un homonyme dans le service, un monsieur Huyghebaert. Quand je l'ai vu, je me suis pris une claque : c'est le sosie de grand-papa, en plus jeune. C'est grand-papa, sans l'alcool et sans la tristesse.

CÉLINE — Et il t'a dit quoi ?

ÉLODIE — « C'est bluffant, tu ressembles à ma mère ! »
(Rires.) Il n'est pas très souvent en France, parce que sa
femme est Bosniaque. Il a deux enfants qui ont très envie
de me rencontrer. Sa fille est en région parisienne, et l'autre
est du côté de Grenoble.

CÉLINE — Et ce serait le frère de grand-papa ?

ÉLODIE — Ou son demi-frère, on ne sait pas.

CÉLINE — Il ne connaît pas sa famille, lui non plus ?

ÉLODIE — Il connaît sa mère. C'est le seul enfant qu'elle
a reconnu quand il a atteint la majorité. Elle a essayé de
renouer des liens avec lui. Apparemment, c'était le plus
jeune. Elle s'en voulait... Il a des photos d'elle et il l'a rencontrée quelques fois. Mais il n'a pas pu continuer à la voir.
Émotionnellement, c'était trop compliqué.

CÉLINE — Et grand-papa, vous en avez parlé ?

ÉLODIE — Michel ne sait pas combien d'enfants elle a eus.
Il ne les connaît pas. Elle les a tous abandonnés. Mais ils
portent son nom. Michel, c'est le seul à avoir gardé le tréma.
Puisque les autres n'ont pas été reconnus, ils ont pris l'or-
thographe française, sans tréma.

Céline a fini ses préparatifs, elle a composé son plan de caméra : Élodie est assise sur une chaise en bois. Elle porte un foulard en coton rose.

CÉLINE — Bon, je te coupe, il faut qu'on commence l'entrevue sinon on va y passer la nuit. Tu es prête ? Je te propose d'inscrire tes corrections sur les pages au fil de la lecture. *(Élodie acquiesce, et Céline commence à lire.)* J'aimerais que tu te présentes.

ÉLODIE — Je m'appelle Élodie Huyghebaert. J'ai bientôt trente-deux ans.

CÉLINE — Quel est ton lien avec papa ?

ÉLODIE — C'est mon papa.

CÉLINE — Tu le dis au présent ?

ÉLODIE — Ben oui, c'est mon papa.

Elle le dit avec une voix de petite fille, en transformant les a *en* o.

CÉLINE — Comment comprends-tu ce que je fais avec ce projet ?

ÉLODIE — C'est un peu le moyen de faire ton deuil, et puis,

aussi, de reparler de papa, de penser au positif. Ce n'est pas toujours évident de se rappeler le positif, mais c'est important pour mieux vivre avec son passé.

Céline s'étouffe à nouveau. On entend des pas qui s'éloignent et reviennent, une succession de déglutitions. Céline n'y croit pas, à cette idée de repenser au positif. Elle ne veut pas le faire revivre.

CHRISTELLE — Il y avait plein de trucs que je n'arrivais pas à gérer. La culpabilité. *(Silence.)* La culpabilité était énorme. *(Pause.)* Je pense que, dans tout deuil, on se sent toujours coupable de quelque chose.

/

Il a dix-sept ans. Il ne sait pas encore que je lui
ressemblerai au point de devoir me détester un peu.

J'ai demandé à des personnes qui n'avaient pas connu mon père de remplir un questionnaire sur lui. Une citation leur indiquait la marche à suivre :

Il serait utile que vous répondiez du mieux que vous pouvez à toutes les questions, même si vous n'êtes pas absolument certain ou si la question vous semble étrange.
— Sophie Calle, *Évaluation psychologique,*
     sur une idée de Damien Hirst

ENQUÊTE SUR L'HISTOIRE
DE MON PÈRE

1 de 9

/ PROFIL PSYCHOLOGIQUE

Pourriez-vous me dire en quelques mots qui était mon père ?
Un homme taciturne, mais tendre.

Qu'aimiez-vous chez lui ? Quelles étaient ses qualités ?
D'après ce qu'on m'a dit de lui, sa curiosité et sa capacité
d'écoute.

Et ses défauts ?
Des défauts ? Je dirais plutôt des idiosyncrasies.

Une anecdote ?
J'ai été frappé lorsque j'ai appris qu'il avait toujours sur lui
un exemplaire des *Arbres à abattre* de Thomas Bernhard.

/ HISTOIRE FAMILIALE

*Racontez-moi quelques moments clés dans sa vie, de sa
naissance à sa mort.*
Jeune, il est tombé de sa bicyclette et s'est cassé le bras droit.

Adolescent, il ne pensait qu'à s'enfuir. Jeune homme, il lisait William Faulkner et Thomas Bernhard. Adulte, ne sachant plus qui il était, il s'est mis à boire.

Comment a-t-il rencontré ma mère ?
En marchant le long d'un canal.

Comment s'est passée la demande en mariage ?
Brusquement. Il y pensait depuis un certain temps, mais la demande a fusé dans un moment d'émoi intense.

Qu'est-il arrivé ensuite ?
Le scénario habituel : emménagement, enfants, boulot, ennui.

/ HISTOIRE DE SA MORT

Vous rappelez-vous de quoi il est mort ?
Je ne sais pas de quoi il est mort.

Est-ce qu'il savait qu'il allait mourir ?
Oui, il le savait, et il est possible qu'il l'ait souhaité.

Y a-t-il quelque chose qui aurait pu le sauver ?
Le désir de vivre, tout simplement.

A-t-il eu une vie heureuse ?
Malgré tout, oui !

/ HISTOIRE PERSONNELLE
DE L'INTERVIEWÉ

Qui êtes-vous ?
Je suis un lecteur passionné par l'écriture, par la possible
émergence d'une pensée.

Quel est votre lien avec mon père ?
Je ne peux parler d'un lien. Plutôt d'une curiosité.

Avez-vous perdu un parent ?
Comment vivez-vous avec sa mort ?
Pas encore, mais cela ne tardera pas et ce n'est pas facile, j'y
pense tout le temps.

Avez-vous des commentaires ?
D'où vient le désir de consacrer un livre à son père ?

2 de 9

PROFIL PSYCHOLOGIQUE

Pourriez-vous me dire en quelques mots qui était mon père ?
Un marin. Un homme souvent parti pour le travail. C'était
un père qui espérait toujours passer plus de temps avec sa
femme, sa famille, mais les obligations de sa profession le
tenaient très loin.

Qu'aimiez-vous chez lui ? Quelles étaient ses qualités ?
Ce que j'aimais chez lui, c'est ce que j'aimais de mon propre
père. Il ne parlait jamais en mal des autres. S'il n'aimait pas
quelqu'un, il gardait ça pour lui.

Et ses défauts ?
Il regardait trop souvent à l'horizon en imaginant que
demain serait mieux. Il n'était pas présent quand il le fallait.

Une anecdote ?
Il avait vraiment un beau sourire. Il aimait beaucoup
raconter des histoires et faire rire les gens.

/ HISTOIRE FAMILIALE

Racontez-moi quelques moments clés dans sa vie, de sa naissance à sa mort.
Il s'imaginait que les moments clés de sa vie étaient le jour où il avait rencontré ta mère et la naissance de ses enfants, et il le disait à tous ses amis. Mais son vrai plaisir était d'être en mer avec ses collègues, loin de tout.

Comment a-t-il rencontré ma mère ?
Je pense qu'ils se sont rencontrés à une soirée dansante. C'était une sorte de coup de foudre. Ils aimaient beaucoup danser.

Comment s'est passée la demande en mariage ?
Ils se connaissaient peu ; ton père travaillait déjà comme marin et il a demandé ta mère en mariage avant de partir pour un long voyage.

Qu'est-il arrivé ensuite ?
Tu es arrivée pas longtemps après le mariage, sept mois peut-être. Il n'était pas là pour t'accueillir.

/ HISTOIRE DE SA MORT

Vous rappelez-vous de quoi il est mort ?
Il est mort d'un cancer. Il avait seulement cinquante ans. Au début, il ne voulait pas que tu le saches. Il le cachait à

tout le monde, même à lui-même. Il est mort en quelques mois seulement.

Est-ce qu'il savait qu'il allait mourir ?
Je pense que la partie de lui qui ne voulait pas croire qu'il allait mourir était plus forte que la partie de lui qui savait qu'il allait mourir.

Y a-t-il quelque chose qui aurait pu le sauver ?
Je pense que, s'il avait accepté sa maladie et s'était fait soigner plus rapidement, il aurait eu plus de chances de s'en sortir, ou du moins plus de temps avant de mourir.

A-t-il eu une vie heureuse ?
Il a eu des journées heureuses. Je ne crois plus que la vie devrait être heureuse.

/ HISTOIRE PERSONNELLE
DE L'INTERVIEWÉ

Qui êtes-vous ?
Je suis une artiste en arts visuels. Je vis à Montréal.

Quel est votre lien avec mon père ?
Mon lien avec ton père est imaginaire. Je me souviens qu'il est mort trop jeune d'un cancer, comme mon père.

Avez-vous perdu un parent ?
Comment vivez-vous avec sa mort ?
Ma mère est morte très jeune, à vingt-six ans, et j'avais seulement six ans. Mon père est mort à cinquante-huit ans. J'avais trente-trois ans. La mort est quelque chose de très présent dans ma vie. La mort de ma mère m'a changée pour toujours, elle m'a formée.

Mon père est mort quand nous commencions tout juste à avoir une relation d'adultes, à discuter.

Avez-vous des commentaires ?
La mort est une chose difficile à saisir, difficile à vivre. Comprendre qu'on va mourir, nous aussi – chose quasiment impossible pour notre cerveau, l'idée de ne plus être là.

3 de 9

Pourriez-vous me dire en quelques mots qui était mon père?
C'était un grand sensible qui vous aimait énormément, toi,
tes sœurs et ta mère. Il avait du mal à dire ce qu'il ressentait, parce qu'il était maladroit dans les rapports humains.
Il était drôle aussi, tantôt parce qu'il était rigoleur, tantôt
malgré lui, quand il râlait pour tout et pour rien.

Qu'aimiez-vous chez lui? Quelles étaient ses qualités?
Ses opinions de comptoir, ses préjugés générationnels et
son côté râleur me plaisent. Lorsque je pense à lui, je me dis
qu'il m'aurait fait rire, parce que je l'aurais sûrement trouvé
rustre, mais touchant. Par ailleurs, je suis sûr que c'était
un homme intelligent, et j'admire l'intelligence des autres.
J'aurais bien aimé aussi qu'il me communique son savoir-
faire manuel et son amour pour la terre et l'agriculture. Si
je l'avais côtoyé, je serais devenu un peu plus un homme.

Et ses défauts?
Je viens partiellement de les énumérer plus haut. À l'excès,

je crois que ses préjugés et son côté râleur auraient pu m'ennuyer, parce qu'ils m'auraient rappelé à quel point les parents peuvent être castrateurs.

Une anecdote ?
La maxime suivante : « Un geste, une connerie ! »

/ HISTOIRE FAMILIALE

Racontez-moi quelques moments clés dans sa vie, de sa naissance à sa mort.
Il a été fier de lui lorsqu'il a :

égorgé un cochon pour la première fois. C'était devant son père. Il n'a pas eu peur ;

rendu un de ses copains jaloux, lorsqu'il avait douze ans, en séduisant la fille que ce copain convoitait. Il se foutait un peu de la fille, en fait ;

décroché son premier emploi à titre de cireur de chaussures à l'âge de quatorze ans ;

séduit ta mère à l'âge de dix-sept ans ;

engrossé ta mère à trois reprises, même si la deuxième fois, c'était par accident ;

lorsqu'il a acheté la ferme ;

lorsque ses trois filles sont nées ;

lorsqu'il a montré à ses filles comment écorcher et dépecer un lapin.

Comment a-t-il rencontré ma mère ?
—

Comment s'est passée la demande en mariage ?
Ton père était un homme classique. Dans un jardin enso-
leillé par un bel après-midi dominical, il s'est agenouillé et
lui a demandé sa main en lui offrant une bague modeste.
Elle a dit oui ; ils ont tous deux fondu en larmes. Il se sentait viril d'avoir posé le geste ; elle se sentait comblée parce
qu'elle avait toujours rêvé de se faire demander en mariage.
Ils idéalisaient un moment qui n'avait rien à voir avec celui
de l'autre.

Qu'est-il arrivé ensuite ?
Il a aperçu un crapaud dans l'herbe et l'a attrapé, puis, pour
faire une blague, il l'a lancé sur ta mère. Elle s'est fâchée, ils
se sont un peu disputés et ils sont rentrés à la maison. Puis
il a bu une bière et elle a fait du tricot.

/ HISTOIRE DE SA MORT

Vous rappelez-vous de quoi il est mort ?
Il est mort des complications d'une cirrhose provoquées
par une bactérie nosocomiale.

Est-ce qu'il savait qu'il allait mourir ?
Il le savait, oui. Il était persuadé qu'il allait mourir le jour où
il mettrait les pieds dans un hôpital.

Y a-t-il quelque chose qui aurait pu le sauver ?
Je ne sais pas. Un meilleur concours de circonstances, peut-
être ? Après que ta mère est partie et qu'il a abdiqué face à

son alcoolisme, il s'est réfugié dans son malheur. Je pense qu'il y a trouvé sa mort à petit feu. Il aurait pu demander de l'aide à ses amis et à sa famille, mais c'est facile à dire aujourd'hui.

A-t-il eu une vie heureuse ?
Ce n'est pas évident. J'ai l'impression que tes parents ont vécu une union difficile. Je pense que ton père a sûrement trouvé du bonheur, à certains moments de sa vie, dans son travail et dans l'amour qu'il avait pour ses trois filles et pour sa femme, même s'il craignait peut-être, secrètement, de tenir plus à elle qu'elle ne tenait à lui. Au bout du compte, j'ai la triste impression qu'il a eu une fin de vie malheureuse, et ça me désole.

J'aurais aimé qu'on le rende un peu plus heureux, toi et moi. J'aurais voulu qu'il soit témoin de l'amour qu'on a l'un pour l'autre ; qu'il sache que tu t'épanouis sur les plans professionnel et amoureux. C'est narcissique de le penser, mais j'ai l'impression qu'il aurait été fier de toi et de nous, et peut-être un peu plus heureux. Qu'en penses-tu ? Je sais, je divague.

/ HISTOIRE PERSONNELLE
DE L'INTERVIEWÉ

Qui êtes-vous ?
Je me présente : je suis le copain de la fille de Mario, c'est-à-dire de Céline. La fille de Mario, je l'aime plus que tout au monde, sauf peut-être ma mère et mon ego.

Quel est votre lien avec mon père ?
Puisque je n'ai pas eu la chance de le rencontrer, mon lien avec lui est purement imaginaire, sentimental. J'aime penser à lui et me raconter des histoires, me faire croire qu'il veille sur nous depuis l'autre monde. Je sais, c'est un horrible cliché. Ne le répète surtout pas !

À défaut de l'avoir rencontré en chair et en os, je croise ton père de nombreuses fois par hasard, dans mes pensées. Je lui serre la main lorsque toi et moi lui rendons visite ; je ris de ses blagues et je m'en fais le complice, parfois avec complaisance, simplement pour qu'il m'aime. Je me plais à imaginer qu'on serait devenus presque copains.

Avez-vous perdu un parent ?
Comment vivez-vous avec sa mort ?
J'ai de la chance, car je n'ai perdu encore personne qui me soit cher. Je souhaite qu'il en soit ainsi jusqu'à la fin des temps, tout en sachant que c'est impossible. La mort m'angoisse parce qu'elle n'a pas encore chamboulé ma vie. Je ne connais pas encore la douleur du deuil, mais je la redoute, et voilà pourquoi j'ai de l'admiration pour toi, simplement parce que tu l'as connue, toi, cette douleur, et que tu y as survécu.

Avez-vous des commentaires ?
J'aurais peut-être aussi aimé trouver en lui une nouvelle figure paternelle, un modèle masculin différent de mon père. Si on s'était côtoyés, notre lien aurait été fort, créé

d'abord par l'esprit de famille, valeur qu'on aurait partagée, mais surtout par l'amour commun, mais bien différent, qu'on aurait éprouvé pour toi.

Je pense qu'on se serait bien plu, ton père et moi.

/ PROFIL PSYCHOLOGIQUE

Pourriez-vous me dire en quelques mots qui était mon père ?
Un bel homme, je l'ai vu sur une photo. Il dégageait un truc assez viril, représentatif des soixante-huitards, poilu – en tout cas, c'est le souvenir que j'en ai, peut-être complètement faux... Peut-être quelqu'un d'un peu vieille école dans l'éducation, débordé par la vitalité et l'enthousiasme de ses trois filles. L'alcool n'a pas aidé à la compréhension entre vous, mais a plutôt été un accélérateur d'incompréhensions et d'échanges violents.

Qu'aimiez-vous chez lui ? Quelles étaient ses qualités ?
Quelqu'un qui était proche de la nature, par son métier, parce que vous aviez des lapins et d'autres animaux, je crois. Ce qui en faisait pour moi quelqu'un de concret. Il avait son couteau sur lui, pour manger, pour tout.

Dépressif, parce qu'alcoolique, et vice-versa. C'est à se demander ce qui a pu les cabosser comme ça, nos pères...

Le rapport au fric d'un addict, de celui qui le dilapide, qui en manque et qui en cherche.

Un homme brisé par le divorce demandé par sa femme lasse.

Un bon vivant. Il écoutait quoi, comme musique ?

Et ses défauts ?
...

Une anecdote ?
Il y a cette fois où tu avais fait le mur. Ton père s'en était rendu compte, et t'avait attendue en picolant. Quand tu es rentrée, il était super énervé, et t'a poursuivie dans l'appart. Vous avez sauté par la fenêtre avec ta sœur, et vous êtes allées vous réfugier chez... Une tante ? Vous êtes revenues de cette fugue plusieurs jours plus tard parce que... Votre mère était trop triste ? Je crois aussi que c'était son anniversaire ce jour-là... Bref, vous êtes allées ensemble avec ta sœur faire amende honorable, et je crois que vous avez été privées de sortie pour perpète.

/ HISTOIRE FAMILIALE

Racontez-moi quelques moments clés dans sa vie, de sa naissance à sa mort.
Je ne sais pas trop.

Comment a-t-il rencontré ma mère ?
J'aimerais bien le savoir...

Comment s'est passée la demande en mariage ?
Elle a dit oui.

Qu'est-il arrivé ensuite ?
Ils ont fait trois jolies filles.

/ HISTOIRE DE SA MORT

Vous rappelez-vous de quoi il est mort ?
Un cancer. Peut-être dû aux pesticides utilisés à son travail. Ne m'as-tu pas dit que d'autres personnes employées au même endroit étaient aussi mortes d'un cancer ? Mais pas le même type de cancer, je crois ?

Ça a été assez fulgurant. De malade, il est devenu agonisant. Tu n'as pas pu revenir avant son décès, tu ne savais pas que c'était si grave. Ta mère et tes deux sœurs étaient là quand tu es arrivée à l'hôpital.

Est-ce qu'il savait qu'il allait mourir ?
Je suis bien trop loin pour avoir une réponse, plutôt des bouts d'idées qui ressemblent à des questions.

Quand il faisait des cures en alcoologie, j'imagine qu'il voulait y croire, même s'il rechutait ultérieurement. Peut-être que, là aussi, il croyait pouvoir s'en sortir, il était jeune. La vie des hommes est pleine de surprises, et l'espoir en fait partie. Et aussi la force du déni.

Y a-t-il quelque chose qui aurait pu le sauver ?
Le sauver de quoi ? Je suis désolée, je ne suis pas sûre de comprendre la question.

A-t-il eu une vie heureuse ?
Il me semble qu'il ne voulait pas divorcer et qu'il en a souffert. Ça en a brisé plus d'un.

/ HISTOIRE PERSONNELLE
  DE L'INTERVIEWÉ

Qui êtes-vous ?
Je suis une amie.

Quel est votre lien avec mon père ?
Il était mort quand je t'ai rencontrée, je ne sais que ce que tu m'en as dit. Je crois que mes souvenirs de nos conversations se sont mélangés à mes interprétations et à ma propre relation avec mon père. J'avais trouvé que nos pères se ressemblaient beaucoup – et pas seulement dans l'alcoolisme. Aujourd'hui, je suis un peu mêlée, je ne sais plus si c'est ce que tu m'as raconté, ou si c'est ce que j'ai projeté à partir de ma relation avec mon père. Par exemple, mon père était hyper poilu et barbu à cette époque. Le tien l'était-il vraiment ou bien je l'ai juste doté comme le mien ?

Bref, apparemment je me suis investie de manière toute particulière dans ce questionnaire.

Avez-vous perdu un parent ?
Comment vivez-vous avec sa mort ?
...

Avez-vous des commentaires ?
Ce n'est pas facile, ce questionnaire. Quand je me souviens de trop peu, j'ai l'impression d'être une mauvaise amie. Et maintenant, j'ai plein de questions. J'ai envie d'en savoir plus et de retourner dans les années soixante-dix pour voir à quoi il ressemblait !

5 de 9

Pourriez-vous me dire en quelques mots qui était mon père ?
En quelques mots, oui. Mais pas beaucoup plus, car, finalement, je ne le connais pas, ton papa : une personnalité
forte, de toute évidence. Imposante ? En tout cas, il a laissé
des traces chez toi, puisque tu continues à le suivre, et je me
demande si c'est de lui que tu tiens ce visage.

Qu'aimiez-vous chez lui ? Quelles étaient ses qualités ?
—

Et ses défauts ?
—

Une anecdote ?
—

/ HISTOIRE FAMILIALE

Racontez-moi quelques moments clés dans sa vie, de sa naissance à sa mort.
Je ne peux pas et je trouve ça dommage. Je réalise que nous n'en avons jamais parlé. Mais tu m'as raconté que tu es revenue d'urgence en France après sa mort et que sa maison a été vidée rapidement. Sans que tu aies le temps de ramasser quoi que ce soit. Pour moi, c'est le moment clé. Parce que c'est le seul.

Pourquoi avoir fait ça ? Pourquoi avoir tout mis dans des sacs, et s'en être débarrassé ? Est-ce qu'il était seul ? Est-ce qu'il avait fait quelque chose de mal ? J'ai l'impression qu'on a voulu l'effacer.

Comment a-t-il rencontré ma mère ?
—

Comment s'est passée la demande en mariage ?
—

Qu'est-il arrivé ensuite ?
—

/ HISTOIRE DE SA MORT

Vous rappelez-vous de quoi il est mort ?
Je dois l'avouer : je confonds les papas de mes amies expatriées. Je m'en excuse. Une maladie, je crois. Pas un accident.

Est-ce qu'il savait qu'il allait mourir ?
On le sait tous. Mais si c'est bien d'une maladie qu'il est
mort, il a dû le voir venir. Je me demande s'il s'est battu. S'il
était entouré. S'il s'est laissé aller. Est-ce qu'il avait envie
de vivre ?

Y a-t-il quelque chose qui aurait pu le sauver ?
—

A-t-il eu une vie heureuse ?
Non. Et c'est l'histoire de son appartement vidé dans l'urgence qui me le fait croire. Quelqu'un qui a eu une vie heureuse, on veut le garder près de soi un peu plus longtemps.

/ HISTOIRE PERSONNELLE
   DE L'INTERVIEWÉ

Qui êtes-vous ?
Je suis un ami de Céline, français comme elle, immigré
comme elle. Et l'un comme l'autre, nous ne connaissons de
nous-mêmes que ce que nous avons bien voulu apporter ici,
et surtout laisser là-bas.

Quel est votre lien avec mon père ?
Tes mots, ton travail. Des bribes d'histoires que je mélange
avec celles d'autres amies, comme je te le disais.

Avez-vous perdu un parent ?
Comment vivez-vous avec sa mort ?

Non. Des grands-parents, oui, mais c'est différent. Ils avaient l'âge pour ça. Et je vis mal avec l'idée de perdre mes parents, je ne suis pas prêt. L'est-on jamais ?

Mon père a eu une grosse faiblesse cardiaque il y a deux ans. On lui a posé un pacemaker. Il n'a jamais été si proche. Ma première pensée a été qu'on avait encore des trucs à se dire. Que j'avais encore besoin de toucher ses mains, d'entendre sa voix et de sentir son cou. Je ne suis pas prêt, j'ai peur de ce vide.

J'ai aussi très peur de ne plus être là pour mes enfants. Qu'eux, ils me perdent. On peut organiser son absence : payer les études, éviter les dettes. Je l'ai fait. Mais je ne veux pas qu'ils sentent ce manque du papa, qu'ils aient des questions sans réponse, que quelqu'un d'autre vive avec eux ce qu'ils auraient dû vivre avec moi.

Avez-vous des commentaires ?
Je me suis demandé si je pouvais broder sur ce questionnaire. Inventer. Si j'en avais su davantage sur vous deux, peut-être que je me le serais permis. Mais j'ai toujours fui ces discussions. Ou plutôt, je les ai toujours évitées.

Par pudeur, respect, embarras ou égoïsme, je n'ai pas abordé le sujet. Ce n'est pas si facile. On se voit souvent en groupe. Je n'ai pas créé d'occasion non plus. Je me demande même si tu as envie d'en parler avec moi. Mais j'imagine qu'un tel questionnaire répond un peu à la question.

6 de 9

/ PROFIL PSYCHOLOGIQUE

Pourriez-vous me dire en quelques mots qui était mon père ?
C'était un homme de la campagne, issu d'une famille pauvre.
Il s'est marié jeune et a eu trois filles avant de divorcer. Il
était débrouillard et travailleur. Agriculteur. Réac, aussi. Il
a été emporté trop jeune par l'alcoolisme, qui l'a bien abîmé.

Qu'aimiez-vous chez lui ? Quelles étaient ses qualités ?
Il était une sorte de MacGyver autodidacte un peu voyou
qui s'est assagi en tombant amoureux de ta mère. Il a su t'intéresser à des choses simples, et te donner des souvenirs
d'enfance complices et heureux avec lui.

Et ses défauts ?
Il ne comprenait pas – ou ne voulait pas comprendre – une
certaine différence ou complexité chez les autres. Cela pouvait en faire quelqu'un de dur et de borné, avec des accès
d'intolérance exacerbés par l'alcool. Il pouvait être bles-
sant et méchant, rejetant ses insatisfactions et erreurs sur
d'autres. Son plus grand défaut aura été à mes yeux – et

103

même si c'était malgré lui – de te faire sentir coupable
– malgré toi – de certaines choses dont tu n'étais pas responsable.

Une anecdote ?
J'aime tes souvenirs d'enfance avec lui, faits de petits larcins, de parties de pêche et de bricolages qui te plaisaient
beaucoup.

/ HISTOIRE FAMILIALE

*Racontez-moi quelques moments clés dans sa vie, de sa
naissance à sa mort.*
Il a grandi dans un milieu rural et peu nanti. Famille nom-
breuse, père alcoolique. Il n'a pas eu l'occasion de faire
d'études et a commencé à travailler jeune.

Comment a-t-il rencontré ma mère ?
C'est dans un bal populaire du samedi soir où on boit de la
marquisette à la louche et on danse des slows collés les uns
contre les autres.

Comment s'est passée la demande en mariage ?
Sûrement avec succès vu qu'elle s'est concrétisée.

Qu'est-il arrivé ensuite ?
Les enfants, les pleurs et les biberons, le bonheur, la vie
de famille, l'achat d'une maison, la routine, les repas trop

arrosés, les joies et les peines, le boulot écrasant dans les champs, l'alcool, le divorce, le renoncement et la maladie.

/ HISTOIRE DE SA MORT

Vous rappelez-vous de quoi il est mort ?
Il est mort des suites de l'alcoolisme qui le ravageait depuis un moment, mais dont les effets ont brusquement empiré et l'ont emporté en moins de temps qu'il n'en faut pour le dire.

Est-ce qu'il savait qu'il allait mourir ?
Je ne crois pas qu'il le savait à ce moment-là plus qu'à un autre.

Y a-t-il quelque chose qui aurait pu le sauver ?
Peut-être lui-même. La musique de Michael Jackson l'aurait aidé.

A-t-il eu une vie heureuse ?
Oui, même si je crois qu'il a un jour perdu de vue son idée du bonheur et les efforts nécessaires pour y parvenir.

/ HISTOIRE PERSONNELLE
  DE L'INTERVIEWÉ

Qui êtes-vous ?
Un ami de la fille de ton père.

Quel est votre lien avec mon père ?
Ce que je connais de toi ; ce que tu m'as raconté de lui et ce que j'ai vécu avec ou à travers lui depuis que je te connais.

Avez-vous perdu un parent ?
Comment vivez-vous avec sa mort ?
Mon père essaie de me perdre.

Avez-vous des commentaires ?
Tu m'as appris à aimer ton père malgré ses défauts, sa maladie et tes déceptions légitimes à son égard. C'est chouette de ta part. Il aurait sûrement voulu te savoir heureuse, satisfaite de tes choix et de ce que tu fais, il se serait plu à croire que c'est en partie grâce à lui. Que ce soit pendant ou après son passage dans ce monde. Je crois que, contrairement à d'autres et malgré son comportement, ton père t'aimait et, surtout, il voudrait plus que tout que tu t'aimes comme tu es.

/

On donne aux photos, comme aux souvenirs, un sens
nouveau quand on les classe dans un nouvel ordre.

/

Il avait affiché quelques photos et cartes postales
sur la porte du frigidaire, ou alors sur la porte de
sa chambre.

7 de 9

/ PROFIL PSYCHOLOGIQUE

Pourriez-vous me dire en quelques mots qui était mon père ?
Il était ouvrier agricole, il fumait, il buvait, il n'a pas laissé grand-chose derrière lui (une photo sur une carte d'identité, une signature au bas de celle-ci).

Qu'aimiez-vous chez lui ? Quelles étaient ses qualités ?
J'aime ce que tu en as dit, parfois ; la tendresse de certaines anecdotes.

Et ses défauts ?
Incapable de répondre à la question, je me demande : as-tu seulement jamais dit quelque chose de négatif sur ton père ?

Une anecdote ?
Je sais que, le samedi matin, la mère était absente, retenue par le travail, et lui, seul à la cuisine... il préparait des frites, et il y avait là comme un air de fête, je crois, pour ses filles.

/ HISTOIRE FAMILIALE

Racontez-moi quelques moments clés dans sa vie, de sa naissance à sa mort.
Je ne sais pas.

Comment a-t-il rencontré ma mère ?
Tout ce qui me vient à l'esprit tient à des scénarios liés à l'époque. Et à bien y réfléchir, ces histoires viennent de ma propre famille. L'un de mes oncles a rencontré sa future femme dans un bal ; un autre attendait la sienne à la sortie du bureau où elle travaillait. Fichue mémoire qui nous ramène toujours à nous-même.

Comment s'est passée la demande en mariage ?
Je n'en sais rien...

Qu'est-il arrivé ensuite ?
Je l'ignore.

/ HISTOIRE DE SA MORT

Vous rappelez-vous de quoi il est mort ?
Lorsque j'ai, une première fois, commencé à répondre à ce questionnaire, j'ai séché sur cette question. Et la honte (la peur de me révéler inattentif à tes confidences, d'avoir manqué d'intérêt pour une histoire qui te constitue pourtant) m'a fait tout arrêter là. Peut-être avais-je plus peur encore de lancer le nom d'une maladie (cirrhose, cancer) et

d'être dans le faux. Ce que je sais de son entrée à l'hôpital, de ses derniers jours, je le sais par toi. Ou plutôt : je devine la douleur qui reste vive, à peine apaisée, chez toi. Je sais que tu n'as pas pu le revoir une fois, une dernière fois.

Est-ce qu'il savait qu'il allait mourir ?
Je l'ignore.

Y a-t-il quelque chose qui aurait pu le sauver ?
Je ne crois pas, non.

A-t-il eu une vie heureuse ?
Dans la première version du questionnaire, à peine remplie, je n'avais répondu qu'à cette question. Je retrouve ma réponse : «J'ai l'impression que ce questionnaire et le travail dans lequel il prend place s'attachent à le démontrer – à trouver les indices qui permettraient de l'affirmer et surtout de le croire. En évitant les excès du misérabilisme et la laideur de la condescendance. »

La date de la dernière modification du fichier dont j'extrais cette réponse est le 16 septembre 2014. Aujourd'hui, lundi 11 mai 2015, je ne crois plus en cette réponse, je la trouve trop jolie. Bien sûr, je ne sais rien de la vie de ton père, mais je m'en veux d'avoir écrit ça : on voudrait toujours dire que ceux qui partent le font au terme d'une vie heureuse. Mais s'ils partent après une vie triste, un peu ratée, un peu gâchée ?

/ HISTOIRE PERSONNELLE
DE L'INTERVIEWÉ

Qui êtes-vous ?
Aujourd'hui, j'ai trente-trois ans. J'ai fait ta connaissance, Céline, à l'automne 2009 à Montréal, d'abord dans un bureau sans fenêtre, puis il y a eu cette soirée dans l'appartement sur Parc (était-ce Halloween ?). Je suis enseignant de français dans un lycée en banlieue parisienne.

Quel est votre lien avec mon père ?
C'est un lien indirect : je t'ai rencontrée après sa disparition, et ton père a commencé à prendre forme, petit à petit, au fil des discussions où l'on se livre moins qu'on ne dresse la carte de ses blessures (des zones limites où l'autre ne peut guère s'avancer sans prévenir).

Ton père n'a vraiment commencé à exister, pour moi, qu'à partir de la mise en œuvre de ton projet : les entretiens avec ta famille, et avec ceux qui l'ont connu, le travail de transcription de ces entretiens (je te revois dans un café, rue Beaubien, peu après ton retour d'un voyage en France, le petit lecteur MP3 posé sur la table, à côté de la tasse d'expresso vide).

Avez-vous perdu un parent ?
Comment vivez-vous avec sa mort ?
Je n'ai perdu ni mon père ni ma mère, et les décès dans la famille m'ont, jusqu'à présent, peu touché (une grand-mère, une tante, un oncle, une cousine).

Avez-vous des commentaires ?

Je me souviens d'une photo : Christelle et Céline, les deux grandes, en short de foot et petit maillot. Je ne sais pas pourquoi, mais cette photo me fait penser à lui, je peux même l'imaginer à l'origine (lointaine) de ces deux grandes blondes en costume de bonhomme.

8 de 9

/ PROFIL PSYCHOLOGIQUE

Pourriez-vous me dire en quelques mots qui était mon père ?
Je ne sais pas du tout qui est cet homme-là. C'est le père de Céline. C'est un petit jeune qui a vécu à une époque pas si lointaine et qui a pourtant l'air bien différente de la nôtre. Il était agriculteur ou fermier, et il travaillait très fort. Il avait toujours un canif sur lui. Il a eu trois filles. Il adorait sa fille Céline, la plus rebelle. Elle était chiante, mais ça le rendait fier.

Pourquoi fait-on des enfants ? Pour qu'ils réussissent là où on a échoué ? Est-ce que ça donne un sens à notre vie ?

Qu'aimiez-vous chez lui ? Quelles étaient ses qualités ?
Il avait l'air amusant, généreux, bon vivant, rustre et doux en même temps. S'il avait eu la possibilité d'avoir plus d'espace, certaines choses auraient pu être meilleures. C'est la société qui l'a définitivement abîmé, un peu comme Clyde Barrow.

Et ses défauts ?
—

Une anecdote ?
Je ne me souviens pas précisément de l'anecdote. Surtout des étincelles que la raconter faisait briller dans tes yeux.

/ HISTOIRE FAMILIALE

Racontez-moi quelques moments clés dans sa vie, de sa naissance à sa mort.
Il s'est marié super jeune. Trop jeune, ça a l'air. Il était amoureux de sa femme. Son amour semblait différent de celui qu'elle lui portait, même si elle l'aimait aussi. Il a pris soin de sa famille du mieux qu'il a pu, et la vie ne lui a pas vraiment laissé de répit. Il a eu trois filles. Pas une seconde il n'a pensé que ça aurait été mieux s'il avait eu un garçon. C'était un bon vivant, et il n'a pas eu le temps de bien la vivre, cette vie. Épuisé, il a déserté ses idéaux. Et l'alcool, qui ne fait pas de reproches et ravive la légèreté, s'est joué de lui puis l'a tué.

Comment a-t-il rencontré ma mère ?
—

Comment s'est passée la demande en mariage ?
—

Qu'est-il arrivé ensuite ?
—

/ HISTOIRE DE SA MORT

Vous rappelez-vous de quoi il est mort ?
Il est mort à cause de la vie. Ça ne s'est pas passé comme Céline l'aurait voulu, mais peut-être comme lui l'aurait voulu.

Est-ce qu'il savait qu'il allait mourir ?
Oui. Dans certaines situations, ça peut paraître étrange de disparaître sans prendre le temps de dire au revoir, mais moi, assez souvent, ça me fait plus de mal de dire au revoir.

Y a-t-il quelque chose qui aurait pu le sauver ?
N'est-ce pas la religion qui a inventé le verbe « sauver » ?

A-t-il eu une vie heureuse ?
Que signifie « avoir une vie heureuse » ? Je ne connais pas les critères de ton père.

/ HISTOIRE PERSONNELLE DE L'INTERVIEWÉ

Qui êtes-vous ?
Me définir en deux phrases serait totalement réducteur. OK, je joue le jeu. Je suis un être humain doté d'un sexe féminin, qui tente chaque jour de comprendre ce que cela peut bien signifier.

Quel est votre lien avec mon père ?
Ton père, c'est l'homme qui était ton père. Je suis liée à lui par toi.

Avez-vous perdu un parent ?
Comment vivez-vous avec sa mort ?
—

Avez-vous des commentaires ?
Je n'en reviens pas d'avoir pleuré en remplissant ce questionnaire.

9 de 9

Pourriez-vous me dire en quelques mots qui était mon père ?
Je l'imagine te ressemblant. Donc grand. Ton père.

J'imagine un Français. Avec des origines nordiques. Danoises, peut-être. Flamandes ? Hollandaises ? Tu me l'as dit, et j'ai oublié. Il avait peut-être les yeux clairs.

Un bel homme.

Qu'aimiez-vous chez lui ? Quelles étaient ses qualités ?
C'était un homme gentil. Je l'imagine comme ça, parce que c'est ton père. J'aurais du mal à l'imaginer autrement. Gentil, mais complexe. Qui n'a pas été malheureux dans la vie, mais n'a pas eu la vie qu'il aurait voulue.

Et ses défauts ?
Un homme peut-être un peu torturé. Et trop sensible.

Une anecdote ?
Cette femme qu'il a aimée quand il était jeune... où est-elle ? Qui est-elle ?

/ HISTOIRE FAMILIALE

Racontez-moi quelques moments clés dans sa vie, de sa naissance à sa mort.
Il a eu trois filles. Toutes différentes les unes des autres. Il les a élevées. Comme un père élève des filles.

Comment a-t-il rencontré ma mère ?
Très jeune. Peut-être trop jeune. Après une déception amoureuse. Un amour perdu pour toujours. Il a rencontré ta mère, un autre amour, sincère.

Comment s'est passée la demande en mariage ?
Je suis contre le mariage, je passe cette question.

Qu'est-il arrivé ensuite ?
Ils vécurent heureux et eurent trois filles.
Ils vécurent comme ils pouvaient et eurent trois filles.
Ils vécurent relativement heureux et eurent trois filles.
Puis il est mort.

/ HISTOIRE DE SA MORT

Vous rappelez-vous de quoi il est mort ?
Il est mort d'une maladie. Un cancer, je crois. Une longue maladie éprouvante, pour lui comme pour vous. C'est dur de voir quelqu'un malade, souffrant, et de ne rien pouvoir faire.

Est-ce qu'il savait qu'il allait mourir ?
Oui. Je pense qu'il savait. Mais qu'il ne voulait pas mourir,
qu'il n'était pas prêt. Pas juste parce qu'il était trop jeune
pour mourir, mais parce qu'à l'approche de la mort, peu
de gens, même lorsqu'ils souffrent beaucoup, peu de gens
sont prêts à mourir, souhaitent mourir. Il savait donc, mais
ne voulait pas.
Ou était-ce un accident ?

Y a-t-il quelque chose qui aurait pu le sauver ?
—

A-t-il eu une vie heureuse ?
Je ne sais pas. J'ai peur que la réponse soit non. Et que ce soit
la réponse que tu cherches en écrivant ton livre.

/ HISTOIRE PERSONNELLE
  DE L'INTERVIEWÉ

Qui êtes-vous ?
Je suis une personne que tu connais depuis peu, et qui n'a
pas connu ton père ni la relation que tu entretenais avec lui.

Quel est votre lien avec mon père ?
Tu es le seul lien que j'ai avec ton père. Ce que tu m'en as
dit, des bribes, toujours en rapport avec ton livre. Et je n'ai
pas osé poser de questions, même si j'en ai eu envie. Je suis
donc obligée d'inventer.

Avez-vous perdu un parent ?
Comment vivez-vous avec sa mort ?

J'ai perdu tous mes grands-parents. Je me souviens de moments passés en leur compagnie. Des images sans mouvements, un peu comme des photos imprimées dans mon cerveau. Ma grand-mère maternelle est morte la première, lorsque j'avais sept ans. Je ne savais pas vraiment ce qu'était la mort. C'est la peine des autres qui me l'a appris.

J'avais neuf ans lorsque mon grand-père est décédé à son tour. Je n'ai pas assisté à leurs enterrements. Je pense encore à eux, au fait que ma mère est orpheline depuis trente ans maintenant. Et parfois, je me fais croire qu'ils me regardent ou me voient de là où ils sont. (De vieux restes de caté-chisme, j'imagine.)

J'ai perdu mon père il y a neuf ans. L'année de mes trente ans. Il était grand, il avait les yeux clairs. Il était totalement imparfait. Il est décédé des suites d'une longue maladie. Il était âgé. J'ai vu les effets de la maladie sur son corps si beau, si vif. Et j'ai vu comme il s'est apaisé petit à petit, peut-être sous l'effet conjoint d'une forme de sagesse venue avec l'âge et de la certitude que la fin approchait. Il est devenu encore plus aimant. Puis, il est mort.

Il était plus âgé que les pères de tous mes amis ; j'ai souvent anticipé sa mort et pensé qu'il mourrait quand je serais encore jeune. Je n'ai pas trouvé sa mort injuste. J'ai beaucoup pleuré et je pleure encore parfois. J'ai peur de finir par l'oublier. J'étais présente lorsqu'il est mort. C'est l'un des moments les plus beaux et lumineux que j'ai vécus. Mais je le dis rarement, car ça se dit mal. Les dernières minutes, le souffle qui ralentit, jusqu'à ce qu'il n'y en ait plus. C'est le moment le plus terrible et douloureux de ma vie. La plupart du temps, je ne veux pas repenser à ces dernières minutes.

Avez-vous des commentaires ?
Je ne veux pas devenir orpheline.

/

Cette femme, c'est Annick Tanne. Elle a beaucoup
aimé mon père, m'a dit Philippe. J'ai griffonné son nom
sur un bout de papier que j'ai glissé dans ma poche.

Scène 5

CÉLINE, LA MÈRE

La mère est assise dans un sofa, les jambes allongées sur les coussins. C'est le soir, peut-être la nuit. Elle fait de l'insomnie. Une lampe de lecture éclaire les feuilles qu'elle s'est résolue à lire pour combattre son agitation. Elle tourne les pages vite, comme on tourne celles d'un contrat à signer sous la pression du regard d'un vendeur ou d'un banquier. Elle inscrit des réponses brèves, là où Céline a laissé des blancs.

CÉLINE — Quel était ton lien avec papa ?

LA MÈRE, *qui écrit au crayon* — Sa femme.

CÉLINE — Comment vous vous êtes rencontrés ?

LA MÈRE — Dans un bal populaire.

CÉLINE — Qu'est-ce qui t'a plu chez lui ?

LA MÈRE, *sur deux lignes* — J'étais mal dans ma peau. J'avais besoin que quelqu'un s'intéresse à moi.

CÉLINE — C'est lui qui t'a demandée en mariage ? Comment ça s'est passé ?

LA MÈRE — On en a parlé ensemble.

CÉLINE — Qu'est-ce que tu as ressenti quand il est mort ?

LA MÈRE — Un immense chagrin. J'aurais voulu qu'il s'en sorte, pour vous, vous aviez encore besoin d'un papa. On a vécu vingt-six ans ensemble. On a *(rayé)*. Même si la vie a été difficile, je l'ai aimé, j'aurais tellement aimé qu'il change.

CÉLINE — Tu peux me raconter comment tu as appris sa mort ?

LA MÈRE — On était en Bretagne. Christelle m'a appelée. Je me souviens, on avait mangé chez la maman de Yann le midi. On a fait nos valises et on est rentrés.

CÉLINE — Est-ce que tu penses qu'il savait qu'il allait mourir ?

LA MÈRE — Je ne peux pas te dire. Je ne le voyais plus à ce moment-là.

Scène 6

Elles sont dans le salon, la mère assise sur le canapé, la fille en face dans le fauteuil. Le magnétophone est sur la table. C'est d'un mari et d'un père qu'elles ont prévu de parler, mais parler de lui les amène à parler de toutes les autres choses que la mère a cachées dans son corps pour ne pas plier. Une fois, alors que Céline lui évoquait sa psychanalyse, la mère a répondu : « Moi, si j'avais fait ça, j'en serais morte. » Le contrecoup, c'est qu'elle a mal. Depuis des années elle a mal, surtout au dos. Elle qui était si grande se fait maintenant dépasser par ses filles. Ses disques lombaires se sont compressés. Mais le plus dur, c'est les jambes, dit-elle. Les disques écrasent les nerfs spinaux, et ses jambes brûlent et lui démangent constamment, ou alors elles sont agitées de spasmes toute la nuit pendant qu'elle dort. Quand elle leur en parle, les médecins modifient sa prescription, l'accusent d'être trop sensible, ou malheureuse, peut-être ? Et Céline pense à sa grand-mère, qu'elle n'a presque pas connue.

LA MÈRE — Avec ma mère, j'ai rien.

CÉLINE — Ta mère, elle a l'alzheimer ?

LA MÈRE — Non, je ne crois pas. Ce n'est pas un alzheimer. C'est qu'elle n'a plus personne. Les seuls gens qu'elle côtoie, ce sont les médecins. Ça la rend folle. Et puis son caractère ne s'arrange pas.

CÉLINE — Tu l'as revue ?

LA MÈRE — Oui, je suis contente, je lui ai posé les questions que je voulais lui poser.

CÉLINE — Et alors ?

LA MÈRE — Elle ne m'a pas répondu sur le coup. Et le soir, elle a pété les plombs, c'est là qu'elle m'a traitée... C'était horrible. Mais, pour la première fois, je lui ai tenu tête. Je lui ai tenu tête et je lui ai demandé de m'expliquer. Mais non, elle ne pouvait pas m'expliquer et elle m'a dit : « Ça ne t'arrive jamais que tout s'embrouille dans ta tête ? » Et j'ai dit : « Non, maman, jamais à ce point-là. » Je passais quelques jours chez elle. Quand on s'est engueulées, j'ai pris mon téléphone, je suis partie faire un tour, j'ai appelé Yann, il était inquiet. Je me suis calmée, je suis revenue. C'est vachement difficile, hein, quand tu... quand t'es logée chez la personne avec qui tu t'es disputée. T'es obligée de revenir. Et puis, rien ne s'est passé. On est allées se coucher et, le lendemain, ça allait un petit peu mieux. Je voulais m'occuper, alors j'ai nettoyé sa salle de bains. Elle m'a dit : « Oh, c'est gentil, il y

a longtemps qu'elle n'a pas été propre comme ça. » Et puis
après : « Bon, ça suffit, avec ma salle de bains. »

CÉLINE — Et c'est tout ?

LA MÈRE — Non. Quand elle m'a ramenée au train, elle m'a
dit : « Merci pour ta gentillesse, et excuse-moi pour toutes
les vacheries que je t'ai faites. »

CÉLINE — Alors tu n'as pas eu de réponses à tes questions ?

LA MÈRE — Qu'est-ce que tu voulais que je fasse ? C'est
comme ça, et puis c'est tout.

CÉLINE — Ça a dû quand même changer quelque chose
de réussir à l'affronter.

LA MÈRE — Voilà, oui. Je lui ai demandé pourquoi ce n'était
pas elle qui m'avait élevée. Pourquoi on m'avait envoyée
chez ma grand-mère. Elle n'a pas su me le dire. Et pourquoi elle vous avait rejetées, vous aussi. Quand tu es née, je
l'ai appelée. Au bout de je ne sais pas combien de coups de
téléphone, elle est venue. Elle ne t'a même pas prise dans
ses bras, elle ne t'a pas regardée. Elle m'a dit qu'elle partait
vivre dans le Sud, à Bandol.

Silence.

CÉLINE — Et après ?

129

LA MÈRE — Elle m'a demandé pourquoi on ne s'était pas vues pendant dix ans.

CÉLINE — Tu lui as dit ?

LA MÈRE — Je lui ai dit. Je lui ai dit : « Je devais élever mes enfants. Et puis je me suis occupée de Marc et de papa. » Marc était jeune quand maman est partie.

CÉLINE — Elle t'a répondu quoi ?

LA MÈRE — Rien. Elle a bien vu que j'étais logique.

CÉLINE — Est-ce qu'elle était tendre avec tes frères et sœurs ?

LA MÈRE — Avec personne.

Long silence, pendant lequel elles se regardent.

Céline ne rentre pas en France quand elle apprend la mort de sa grand-mère. Sa grand-mère s'est défenestrée de la chambre de sa maison de retraite. Sur la note qu'elle a laissée, elle a écrit : « Pardon à mes enfants, mais je ne supportais plus mes jambes. »

RÊVES

J'aperçois mon père par le hublot de l'avion. Il vole dans ma direction, les bras écartés. Il s'approche jusqu'à ce que son visage soit collé à la vitre.

OCTOBRE 2004

Ma sœur m'accable de reproches : « On sait très bien que tu n'es pas fiable. » Elle ajoute que je suis méchante : « Papa pensait la même chose. Tu es une personne irresponsable et méchante. » Son recours à l'opinion de mon père mort m'ôte toute possibilité de défense. Dans la hiérarchie familiale, la sœur aînée est la tutrice du récit de famille, alors ce qu'elle rapporte de mon père ne peut qu'être vrai : c'est elle qui sait.

Il faut tout de même que je trouve un moyen de me protéger de ces accusations. J'essaie de faire sortir des mots de ma gorge. Dans ce rêve, les mots sont de petits objets, et parler revient à en forcer la remontée le long de la trachée, mais cela me donne envie de vomir, et je vomis. Ça m'étonne de pouvoir passer si facilement de la nausée au fait de vomir, comme s'il suffisait de penser à quelque chose pour que cette chose existe.

DÉCEMBRE 2004

Mon père est assis à ma table, les bras croisés. Des bandages le couvrent jusqu'aux yeux. J'ai pitié de lui ; je l'aime ; c'est mon père ; il est inoffensif. C'est la succession de phrases qui me passe par la tête quand je le regarde. Au moment où j'ouvre la bouche pour lui dire ce que je n'ai pas eu le temps de lui dire de son vivant, les bandages tombent de son visage et ce n'est plus mon père. Ce n'est plus personne.

JUIN 2006

Enfant, je rêve souvent que je suis toute seule à la maison et que j'entends le bruit familier de la voiture de mon père qui se gare. Je sors pour aller à sa rencontre. Il fait nuit. J'entends les coups de hache qui cognent le bois, comme souvent le soir quand il faut allumer le feu dans la cheminée. Le rêve se passe toujours en hiver. J'appelle : « Papa, c'est toi ? » Pas de réponse. Je longe la façade de la maison. J'arrive au coin, je vois une hache qui se soulève au-dessus de ma tête. Je m'en souviens ce matin après le rêve qui vient de me réveiller.

JUILLET 2008

J'enlace mon père et je lui dis une chose que je ne lui ai jamais dite auparavant. Il me demande de répéter cette chose pour qu'il puisse y croire. Je me mets à la crier de toutes mes forces, jusqu'à ce que ce cri soit si fort qu'il me sorte de mon rêve. Je réalise alors avec beaucoup de tristesse que je n'ai toujours pas pu dire à mon père ce que je croyais lui avoir dit cette nuit dans mon rêve, puisque mon père n'est pas vivant.

OCTOBRE 2010

Patrick, un ex, vient me rendre visite chez mon père, qui le traite de salaud entre ses dents. J'ai honte de l'attitude de mon père, mais j'ai encore plus honte que mon père me voie avec cet homme (« ce salaud », comme il dit). Mon père le hait à cause d'une histoire d'avortement qui lui reste en travers de la gorge.

Devant la clôture de notre jardin, une voiture ralentit. Une enfant est assise sur la banquette arrière. Je m'approche, j'attends que la conductrice baisse les vitres et je demande son nom à la petite fille. Ce qu'elle me répond, pour une raison que j'ignore, me confirme qu'elle est l'enfant de Patrick et de la conductrice. Alors Patrick, inquiet de la scène qui s'annonce, me lance pour se défendre : « Mais tu comprends qu'avec elle, je n'ai pas besoin d'utiliser des mots compliqués ! » Je ne réponds pas. Je rentre dans la maison et je laisse Patrick seul dans la rue. Appuyé contre la clôture, il me regarde le regarder derrière la fenêtre du salon. Je pense à mon père qui a dû tout entendre et j'ai honte.

OCTOBRE 2010

Je vis dans un gratte-ciel à Tokyo avec ma mère et l'une de mes sœurs. Une tempête en secoue la base, qui tangue, tangue de plus en plus. Le gratte-ciel est encerclé par l'eau.

Des vagues énormes se forment au loin et déferlent sur la tour. La tour se fissure, comme la tour cassée qui sort chaque fois dans mes tirages de tarot, et je dis à ma mère et à ma sœur qu'il va falloir sauter pour s'en sortir vivantes. Et je saute. D'en bas, je leur fais signe, elles me regardent par la baie vitrée de notre beau loft. Mais elles ne sautent pas, elles continuent à vivre dans la tour fêlée, qui ne s'effondre finalement pas. Quant à moi, je me retrouve dans « les quartiers populaires ». J'habite sur le toit d'une maison avec « les autres clandestins ». Nous avons peu de place : chacun dispose d'un rectangle de la taille d'un tapis de yoga. Je dois attendre la tombée de la nuit pour escalader le mur sans me faire voir et rejoindre ce petit espace à moi. C'est éprouvant, cette vie-là. C'est une vie d'hommes, tous barbus et pauvres comme mon père.

DÉCEMBRE 2010

Ma sœur m'annonce que mon père est mort. Ça fait mal. Peut-être encore plus que la première fois. Je dis à ma colocataire que je dois partir en France parce qu'ils sont en train de jeter toutes ses affaires, tout ce qui lui appartient.

DÉCEMBRE 2010

Mon oncle et ma tante arrivent à une fête de famille. Ils ont appris que je voulais réaliser une entrevue avec eux au sujet de mon père, et ils souhaitent la faire immédiatement. Je suis un peu prise de court. Je n'arrive pas à mettre la main sur mon dictaphone. Inquiète qu'une trop longue attente les dissuade de se plier à l'exercice, je me résigne à utiliser

mon téléphone. François tient une feuille de papier où sont
notées des phrases sur deux colonnes. Il y a plein d'espaces
blancs sur la page et beaucoup de ratures. Mon père entre
dans la pièce et veut savoir ce qu'on fout. Je n'ose pas lui dire
qu'on est en train d'écrire un truc sur sa mort.

JUILLET 2011

J'avais quitté mon emploi et volé une locomotive. J'étais avec
ma colocataire, Geneviève. On venait de déposer notre dossier de candidature pour acheter une nouvelle maison. Je
savais qu'« ils » risquaient de me retrouver à cause de ce dossier, puisque le nom de mon père serait inscrit dans le fichier
des demandes, mais je n'ai rien dit. Je crois que je ne voulais
pas priver Geneviève du plaisir d'avoir une nouvelle maison.

Une fille est sortie d'un hangar et a couru vers moi. Elle
voulait m'avertir qu'ils m'avaient trouvée. Je n'ai pas essayé
de leur échapper. Tout au long du procès, parce qu'il y a
eu un procès, mes avocats ne croyaient pas possible que
je prenne perpète pour des délits si mineurs, mais j'ai pris
perpète. Peut-être même que j'ai été condamnée à mort, je
ne sais plus. Avant que je sois envoyée en prison, on a tous
regardé une vidéo dans laquelle Martin disait qu'il mettrait
bientôt fin à ses jours. C'était la fin d'une époque, je trouvais
la vie triste, Geneviève ne pouvait pas y croire.

JUILLET 2011

Mon père est malade. Il est en train de vomir du sang dans
les toilettes et ma grand-mère s'occupe de lui. Elle a l'air
très inquiet. Mon père est maigre. Ses joues sont creuses,

ses yeux globuleux. Je hurle : « Mais vous ne voyez donc pas qu'il va mourir ? » Personne ne m'entend. Je suis derrière une vitre, un peu comme un inspecteur derrière la glace sans tain d'une salle d'interrogatoire. Mon père porte un pyjama rayé, comme à Auschwitz.

AOÛT 2011

Je retrouve mon père bien en chair, heureux, les yeux brillants. Je dis : « Rien à voir avec la photo du passeport ! »

MARS 2012

Mon père escalade la façade de la maison et je dois crier pour me faire entendre. Il passe par-dessus la rambarde d'un balcon et disparaît. Je lui pose une question. Il ne me répond pas. Je crie : « Pourquoi tu ne me réponds pas ? » J'insiste : « Réponds-moi, papa. Réponds-moi ! » La personne qui m'accompagne entre dans la maison et monte à l'étage. Elle découvre que mon père ne me répond pas parce qu'il s'est électrocuté avec des câbles qui traînaient par terre. Il est allongé au sol, inconscient, peut-être déjà mort. J'appelle ma mère : « Maman, maman, appelle une ambulance ! Maman ! » Elle arrive et s'apprête à prendre le pouls de mon père. C'est l'autre personne qui arrête son geste, pour qu'elle ne soit pas électrocutée en touchant mon père.

MAI 2012

Ma mère entre dans ma chambre. Elle fouille dans mes affaires en me disant qu'elle est certaine que je me suis fait voler quelque chose. Elle sort des objets de mes placards

136

et me demande chaque fois si ce n'est pas l'objet qui a disparu : « Et ça, tu ne te l'es pas fait voler ? Non ? Et ça alors ? »

On se retrouve à un spectacle que donne mon père. Je
monte sur l'estrade pour jouer une scène, mais ça ne se passe
pas comme la fois précédente. Je comprends qu'il existe de
nombreuses versions de cette scène, et je n'avais jamais pu
le constater avant ce soir, parce que je n'étais jamais restée
jusqu'à la fin du spectacle.

MAI 2012

Mon père est assis dans la cuisine, accoudé sur la table en
formica dont je pensais que nous nous étions débarrassés
depuis longtemps. Tous les meubles de sa maison sont des
meubles que nous avions jetés. Ça sent la poussière.

MAI 2012

Je viens d'emménager dans une grande maison avec Geneviève. La maison est composée d'une infinité de pièces. Je
vis du côté droit et elle du côté gauche. On peut dormir
dans une chambre différente chaque nuit tant la maison est
immense, alors j'échange la mienne contre une plus grande
pourvue d'une salle de bains privée au bout d'un long cor-
ridor. Martin me dit que je ne devrais pas utiliser cette
chambre, quelqu'un y a attrapé une maladie. Je sais qu'il
a raison, mais je m'installe quand même, sans rien désin-
fecter. Cette maison, elle cache autre chose, un secret, un
cadavre au sous-sol, peut-être celui de mon père. Au fond,
je suis certaine qu'elle ne peut rien nous apporter de bon,
et que nous devrions la quitter au plus vite.

SEPTEMBRE 2012

Quelqu'un s'est tué, et c'est un peu de ma faute. Je range mes affaires dans un petit sac en papier et je m'apprête à partir. Puis je me dis que la mort de cette personne n'est peut-être pas encore irréversible, alors je ne sais plus quoi faire, rester pour essayer de la sauver ou partir.

SEPTEMBRE 2012

Mon père a fait une tentative de suicide. Ce n'est pas la pre-mière, mais on ne m'en avait jamais parlé avant. Dans mon rêve, je pense : je préfère avoir un père suicidaire qu'un père mort.

NOVEMBRE 2012

Je suis avec ma mère en voiture. On passe devant la ferme de mon père. Je m'écrie : « Oh, on s'arrête ! » Je suis enthou-siaste, car j'ai un appareil photo avec moi, et je veux pho-tographier « les lieux de mon père ». Mais mon appareil est réglé sur une fonction macro qui prend les photos en très gros plan alors que je veux des plans d'ensemble. J'observe des paysages magnifiques que je n'arrive pas à capturer à cause de la mauvaise fonction de mon appareil.

AVRIL 2013

Mon père s'occupe de moi ce matin. Il me prépare des céréales et je lui dis qu'il doit être heureux de pouvoir jouer son rôle de père. Juste avant ça, ma mère m'avait fait pleurer lorsqu'elle m'avait demandé d'arrêter de laisser moisir des t-shirts dans l'évier de l'atelier de mon père. J'étais blessée qu'elle puisse penser que c'était moi qui avais fait ça. Je n'étais pas allée dans ce local depuis un an. « C'est ton père qui me l'a dit. » D'être accusée par lui m'avait fait pleurer davantage. Mon père s'était d'ailleurs immédiatement excusé : il s'était sans doute trompé.

NOVEMBRE 2013

J'ai un iguane autour de la gorge. Je dois faire attention à ce que rien n'accroche sa peau, elle pourrait se déchirer. Je me demande si c'est ma peau, cet iguane, ou le souvenir de mon père qui m'étouffe et que je protège pourtant de la pire agression qui soit : l'oubli.

MARS 2014

Mon père se met à gueuler très fort contre ma mère. Il a l'air à moitié fou alors que la seconde d'avant, il se comportait de manière tout à fait normale. Je m'interpose et je hurle à mon père d'arrêter. J'attrape son bras, le bras avec lequel il frappe ma mère. Pendant une seconde, je sens que je pourrais casser ce bras comme on casse une branche morte, en le cognant à deux mains d'un coup sec contre ma cuisse. Cette pensée me fait peur, alors je le lâche.

Au même moment, j'aperçois mon père derrière la porte-fenêtre du salon. Il tient le bras de mon petit-cousin et menace de le casser exactement de la façon dont j'ai pensé casser le sien. Puis, dans sa main, c'est un bout de bois qu'il casse et non plus un bras.

Ma sœur entre dans la maison. Ma mère attrape le bras de mon père et le cache vite dans son dos, pour que ma sœur ne s'énerve pas. Ma sœur n'aime pas quand ils se battent.

FÉVRIER 2015

J'enquête pour découvrir ce qui a tué mon père et on ne cesse de m'intimider. On essaie d'entrer par effraction dans ma voiture. On cambriole l'appartement et on vole mes carnets. J'exige de mon colocataire qu'il change nos serrures. « Pour être sûr que ça n'arrive plus, lui dis-je, il faudra que tu ne donnes les clés à personne. Moi, j'en donnerai une à..., et une à..., et au propriétaire, et à... » J'énumère interminablement les noms des gens à qui je vais donner nos clés.

AVRIL 2015

J'ai fait deux rêves sur mon père. Dans le premier, il était mort sans que j'aie pu le revoir. C'était vraiment douloureux. Dans le second, je ne m'en souvenais plus, mais je me disais que ça faisait mal de perdre deux fois son père.

JUIN 2015

On se dirige vers le lieu de l'enterrement de mon père et je ne peux m'arrêter de pleurer. Parfois, je réalise que je n'ai plus vraiment envie de pleurer mais que je pleure quand même, comme lorsqu'on fait l'amour avec quelqu'un et qu'on continue à gémir même si on n'est plus du tout excité.

Pour préparer un volet du livre sur mon père, je vais dans un stand de tir et je loue une carabine dernier cri, capable de tirer des balles en rafales. J'ai du mal à l'épauler. Et puis, je me rends compte que j'ai oublié de prendre avec moi les photos sur lesquelles je voulais travailler, alors je découpe des images de femmes parfaites dans des magazines pour m'en servir à la place. J'en colle une à l'extrémité du canon et, quand je tire, elle est propulsée sur la cible en carton placée au bout de la piste. Je suis très fière de mon processus créatif.

L'homme qui tient le stand de tir nous raconte qu'il n'a plus de relations sexuelles depuis que sa femme s'est fait égorger pendant qu'il la prenait par-derrière. C'est ce qu'il dit. Il ajoute : « Ça marque. »

J'ai fait un rêve cette nuit, qui était lié à mon père. Je le sais parce que je me suis réveillée en riant et je me suis dit qu'il fallait que je le note pour qu'il apparaisse dans mon livre.

Scène 7

CÉLINE, LA MÈRE, CHRISTELLE

Dans le salon de la mère, lors de la première entrevue. Elle et Céline sont seules.

CÉLINE — J'aimerais que tu me racontes son enfance. Où il est né, où il a grandi...

LA MÈRE — Il est né à Saint-Germain-de-la-Grange... Mais non, qu'est-ce que je raconte, moi ? Il est né à Chantepie. Quand tu descends de Plaisir, tu vas vers Chavenay. Sur la gauche, il y a une ou deux maisons dans les champs. C'est là qu'il est né.

CÉLINE — Il est né à la maison ?

LA MÈRE — Ils sont tous nés à la maison, toute sa famille. Tu sais qu'il a perdu sa maman quand il avait cinq ou six ans ?

CÉLINE — Il t'en parlait, parfois ?

LA MÈRE — Il n'avait pas de souvenirs d'elle, donc non, il n'en parlait pas.

CÉLINE — C'est un peu Jeanne qui a joué le rôle de mère, finalement ?

LA MÈRE — Pas vraiment. Jeanne avait déjà des enfants. Pas les trois dernières, mais elle avait eu Francis à quatorze ans, puis Noëlle et Michel. Elle n'avait pas le temps de s'occuper de ses frères. Mario, il n'avait pas de mère. On sentait qu'il avait un problème de ce côté-là. *(Elle bredouille.)* Il avait souffert, on le sentait bien.

CÉLINE — Il était tout seul ?

LA MÈRE — Ben voilà. Et puis, chez eux, tout le monde se disputait. Ils ne se tapaient pas dessus, mais presque. Et il y avait beaucoup d'alcool. Il n'y avait pas d'argent pour manger, mais il y avait de l'alcool... Il y avait toujours de l'alcool. Une fois, Jeanne m'a dit : « Au début, je trouvais que t'étais chiante, parce que t'aimais pas boire. »

CHRISTELLE — Ce sont des choses qui sont arrivées avant que je sois née, alors je ne sais pas... Peut-être que, dans cette famille, ils s'engueulaient. Mais la famille, ça a toujours été hyper important pour papa. Et les amis aussi.

CÉLINE — Tout le monde buvait ?

LA MÈRE — C'est une religion pour eux. C'est une religion. Celui qui buvait le moins, c'était peut-être Patrice.

CÉLINE — Ah oui ? Patrice, c'est celui qui est mort dans un accident de voiture ?

LA MÈRE — Au Portugal. Il était divorcé. Il travaillait avec des Portugais, et ils l'avaient invité en vacances. Patrice avait emmené son fils. Ils sont tombés dans un ravin.

CÉLINE — Je ne l'ai pas connu, mais j'ai toujours eu l'impression qu'il était à part. C'est ce qui se dégage de lui sur les photos.

LA MÈRE — C'était quelqu'un de super génial. C'était l'aîné. Quand tes grands-parents l'ont eu, ils n'étaient pas encore mariés, donc Patrice portait le nom de sa mère : Lessage. Marcel, ton grand-père, n'a pas fait les démarches pour le reconnaître. Quand ils sont venus le chercher pour le service militaire, ils l'ont appelé Patrice Lessage et, du coup, tout le monde l'a détesté.

Céline imagine la scène, le gendarme venu chercher Patrice pour le forcer à faire ses « trois jours » : les garçons charrient leur frère, le traitent de bâtard ; le patriarche se fâche ; l'aîné est bien de lui, qu'est-ce qu'ils croient, qu'il l'aurait accepté dans sa maison ? Fin de la scène, mais pas de la honte. Honte dont les fils traînent les résidus, inconsciemment, dans leur colère quotidienne contre leur frère. L'inad-

missibilité du bâtard, c'est évidemment la mère qu'elle vise : le bâtard est intolérable parce qu'il rend imaginable l'infidélité de la femme.

LA MÈRE — Moi, je l'aimais bien. Ton père ne s'entendait pas avec lui. Au début, quand je fréquentais ton père, Patrice nous avait invités à manger chez lui. Après l'apéro, je ne sais pas ce que ton père lui a dit, quelque chose comme : « Toi, t'es un Lessage. » Ça a mal tourné, on a été obligés de partir. Pourtant, ils avaient tous les deux la même mère. Mais bon, j'essayais pas de...

CÉLINE — Comprendre ?

LA MÈRE — ... de comprendre. Ton père, il n'avait pas un caractère facile non plus. Il était un peu buté. Quand t'essayais de parler avec lui, il se braquait. Il n'y avait pas de discussion possible.

CÉLINE — Il n'était pas doué pour parler de ce qu'il ressentait ?

LA MÈRE — On sentait qu'il était écorché vif. C'est toujours ce que je lui disais : t'as eu une enfance malheureuse et je le comprends, mais maintenant t'as une vie super, des filles super, t'as une maison, t'as un métier, essaie de voir le côté positif.

CÉLINE — Il n'y arrivait pas ?

LA MÈRE — Y avait rien à faire.

CÉLINE — Quand j'étais petite, je vous ai entendus quelques fois parler d'un enfant illégitime. Alors, c'était Patrice ?

LA MÈRE — Ah non, il y en avait un autre. Quand Marcel était plus jeune, il travaillait dans une ferme. Parce que, tu sais, votre grand-père, c'était un enfant de l'Assistance publique. Donc il travaillait dans une ferme et il avait couché avec une nana de la ferme, et il avait eu un gamin...

CÉLINE — Mais il ne l'a jamais reconnu ?

LA MÈRE — Ah non.

CÉLINE — Papa le connaissait ?

LA MÈRE — Il le connaissait de vue.

CÉLINE — Mais ils ne se parlaient pas ?

LA MÈRE — Non.

CÉLINE — Et le garçon, il savait qui était son père ?

LA MÈRE — Oui, il connaissait son père.

CÉLINE — Et sa mère ?

LA MÈRE — On allait de temps en temps dans un restaurant à Crespières. Je me demande si ce n'est pas avec une des deux dames du restaurant que Marcel avait eu un enfant. Moi, ça ne me regardait pas, je ne voulais pas m'en mêler.

CÉLINE — Papa ne t'en parlait pas ?

LA MÈRE — Il n'en parlait pas. De toute façon, ça ne le concernait pas. C'était le problème de son père. La mère, apparemment, elle a élevé son gamin toute seule, et puis c'est tout.

/

J'étais tombée amoureuse de Mario encore jeune fille, mais j'aurais pu tomber amoureuse de n'importe qui d'autre, d'un corps auquel nous finissons par attribuer je ne sais quelles significations. [...] On ne sait qui il est véritablement, il ne le sait pas davantage lui-même.
— Elena Ferrante, *Les jours de mon abandon*

Scène 8

PHILIPPE, CÉLINE, MARC, ANNETTE

PHILIPPE — Tout le monde l'aimait. Dans sa famille, c'était le préféré ; et dans la famille de ta mère et d'Annette, c'était pareil. Moi, j'étais le mauvais garçon. Ton grand-père, il ne me faisait pas confiance. Je ne sais pas pourquoi. Même ta mère, elle n'a plus voulu me parler pendant un temps. Mais ton père, tout le monde l'aimait.

CÉLINE — Tu l'as rencontré quand ?

PHILIPPE — On a grandi ensemble. On habitait à côté. On disait qu'on était cousins. Ça ne choquait personne. *(Il cherche dans ses souvenirs.)* Ton grand-père allait souvent travailler avec mon père.

CÉLINE — Ils étaient maçons ?

PHILIPPE — Ils étaient cimentiers. Ils savaient faire le béton. Ton père et moi, on est allés à l'école ensemble. *(Il rit.)* On faisait surtout l'école buissonnière. En semaine, on s'invitait dans les soirées étudiantes. L'alcool coûtait deux fois moins cher, là-bas. On foutait le bordel, t'as même pas idée. Le samedi, on buvait une caisse de bières. Après, on prenait notre mobylette et on allait au bal.

Mario aimait raconter qu'il avait fabriqué sa mobylette à partir d'un vieux châssis. Freins, roues, transmission : il démontait les pièces une par une, la nuit, sur les mobylettes garées dans la rue, et il les remontait sur son châssis.

PHILIPPE — Il est sorti avec ta mère, et moi avec Annette. Mon frère était sorti avec elle avant. Mais pas longtemps.

Il parle d'une piscine dans laquelle ils allaient souvent se baigner tous les quatre. Ils appelaient ça une piscine, mais c'était plutôt une mare. Céline imagine sa mère à vingt ans, sage, un peu timide, embarrassée, mais séduite par l'effronterie des deux hommes. Elle étudie probablement encore en biochimie. Ou bien c'est fini, et elle cherche du travail. Elle a deux ans de plus que Mario.

PHILIPPE — Quand on a arrêté l'école, on a travaillé ensemble à la forge. On forgeait les outils pour les Ponts et Chaussées. Il faisait chaud là-dedans. *(Il montre les brûlures qu'il a gardées sur les mains.)* C'est son frère qui nous avait fait embaucher.

CÉLINE — Patrice ? Il s'entendait bien avec lui ?

PHILIPPE — Ils étaient proches. Ils ne s'engueulaient jamais. *(Il allume une cigarette.)* Souvent, on arrivait à la forge directement après une fête. Ton père, il y allait, quoi qu'il arrive. Patrice l'aurait tué, sinon. Moi, je me cachais sous un arbre ou quelque part pour dormir. Avec la chaleur et l'odeur, c'était pas long que ton père sorte vomir tout son alcool. Patrice râlait : « Je ne te demande pas où est passé l'autre. »

MARC — Il a toujours été passionné par ce qu'il faisait.

PHILIPPE — Après, la forge a été reprise par des ingénieurs qui nous faisaient chier avec leurs calculs. Il fallait chauffer tant de temps, refroidir tant de temps. Je me suis barré le premier. Après, ça a été ton père. Et puis Patrice.

ANNETTE — Tes parents habitaient chez les Forget. C'était leur premier appartement avant leur mariage et la naissance de Christelle.

PHILIPPE — Il habitait chez les Forget. Eux, ils ne pourraient pas t'en parler, de ton père. Ils se sont fâchés. Ton père est parti, ils ne se sont jamais reparlé. De toute façon, le père Forget, il est mort.

MARC — Ensuite, il a travaillé avec son frère Gaëtan dans une boîte où on coulait le béton. Il n'aimait pas ça. Il y est resté un an et demi, autour de la naissance de

Christelle. Puis il a travaillé à la ferme à partir de 1977. Il avait vingt ans.

PHILIPPE — C'est Hervé qui l'a fait embaucher à la ferme. C'est aussi lui qui lui a vendu votre première maison. Mario lui louait déjà la maison pas cher. Et puis il l'a rachetée, Hervé l'a laissé payer en plusieurs versements. Ça et le boulot à la ferme, ça l'a aidé. *(Il regarde Céline.)* Lui aussi, il est mort.

Scène 9

À partir d'ici, on ne sait plus quand ni dans quelles maisons sont prononcées ces répliques.

ÉLODIE — J'adorais aller à la ferme. Tu te rappelles la fois où on a fait du toboggan sur les énormes tas de grains ?

CÉLINE — Papa n'était pas content quand il nous a vues. C'est parce qu'il y avait des rats dans le hangar ?

ÉLODIE — Non. C'est parce qu'on avait étalé les grains dans toute la cour à force de glisser dessus. Il avait peur que son patron gueule en voyant ça. En même temps, je crois qu'il n'avait pas pu s'empêcher de rire en nous voyant dévaler la montagne de maïs sur les fesses. Quelques années plus tard, les céréales n'ont plus été entassées sous le hangar mais directement stockées dans les silos.

CÉLINE — Tu as l'impression que papa était heureux à la ferme ?

CHRISTELLE — Quand il bossait à la ferme ?

CÉLINE — Oui.

CHRISTELLE — Je pense qu'il aimait son boulot. De toute façon, il n'aurait pas pu en faire un autre, parce qu'il avait vraiment besoin...

CÉLINE ET CHRISTELLE — ... d'être dehors.

Elles rient d'avoir parlé en même temps.

PHILIPPE — C'était un peu sa deuxième famille, les gens de la ferme. Perrochon, le patron, c'était comme un père pour lui. Quand la fille de Perrochon a repris la ferme et qu'elle a viré ton père, ça a été dur. Il a essayé deux, trois autres boulots, mais il ne tenait pas.

CÉLINE — Tu sais s'il aurait eu envie de faire quelque chose d'autre de sa vie ?

LA MÈRE, *après un temps* — Non, il a trouvé ce qui...

CHRISTELLE — Le dessin, c'était son grand regret. Le nombre de fois où il a raconté qu'il avait fait du dessin industriel et qu'il n'avait pas pu continuer, faute d'argent. Ça, il l'a raconté des centaines de fois.

CÉLINE — Il disait que le professeur était impressionné de

le voir dessiner ses plans à main levée. Mais il a été obligé d'arrêter parce qu'il n'avait pas les moyens d'acheter les fournitures. Après ça, il s'est inscrit en classe de couture. C'était génial pour draguer, parce qu'il n'y avait que des filles. J'ai toujours cru que papa et maman s'étaient rencontrés là.

LA MÈRE — Je ne sais pas s'il aurait eu envie de travailler ailleurs... Tu sais, ton père, il ne disait jamais rien de ce qu'il voulait. Quand il était enfant, personne ne le surveillait. Son père ne s'occupait pas de lui. Jeanne avait ses gamins, donc ce n'était pas elle qui aurait pu faire quelque chose. S'il ne voulait pas aller à l'école, il n'y allait pas. Il était sur le point de devenir un voyou. Il piquait des disques, il piquait plein de trucs.

CÉLINE — Qu'est-ce qui l'a calmé ?

LA MÈRE — Ben, il m'a rencontrée.

CÉLINE — Ah oui ?

LA MÈRE — Ah, mais oui, c'est sûr, ah oui, c'est certain.

Scène 10

UN VOISIN, ANNETTE, MARC, LA MÈRE, CÉLINE,
UNE AMIE DE CÉLINE, CHRISTELLE,
UNE VOISINE, PHILIPPE

UN VOISIN — C'était un personnage, ton père. Il en a fait, des conneries. Il faut que tu demandes à Marc de te raconter. Il était souvent avec lui.

ANNETTE — Je ne sais pas s'il faisait beaucoup de conneries. Pas vraiment. La police n'est jamais venue, en tout cas. C'était un mec cool. Un mec sympa. On allait au bal, ton père, ta mère, Philippe et moi. Il a toujours été gentil et généreux.

MARC — Une fois, on rentrait de chez Annette, et on a vu du matériel de construction sur un chantier à côté de chez elle. On a ramené ta mère à la maison et on est retournés charger le matériel. Au retour, ton père a proposé de rentrer par les petites routes pour éviter de croiser les flics. Pas de chance, on s'est pris un nid-de-poule et, avec le poids de la voiture, on a crevé. On a commencé à décharger le matériel volé dans le champ. La première voiture qui passe : c'étaient les flics. Ils nous ont demandé de les suivre au poste. On est rentrés à six heures du matin à la maison.

LA MÈRE — Je les attendais depuis minuit.

CÉLINE, *à Marc* — Tu allais au bal avec eux ?

MARC, *hésitant* — Oui, j'allais au bal...

LA MÈRE — Mais non, tu étais trop jeune ! On y allait tous les quatre en mobylette, Annette, Philippe, Mario et moi.

Céline pose la même question à chaque personne qu'elle interroge :

CÉLINE — Tu te souviens d'une anecdote particulière avec papa ?

UN VOISIN — Aux enterrements, il ne voulait jamais entrer dans l'église. Il restait sur le parvis avec son chien. C'était son excuse. Il disait qu'il ne mettrait pas les pieds dans la maison du bon Dieu tant que toutes les bêtes n'y seraient pas acceptées. Ça faisait enrager ta mère.

ANNETTE — Il disait : « Le bon Dieu, plus il est loin, mieux je me porte. » Il avait toujours une blague en réserve.

MARC — Une cliente de la ferme lui a offert un margaux 1966 parce qu'il avait taillé les haies chez elle. On l'a bu avec ta mère. C'était bon, comme du porto.

Marc éclate de rire. Il ajoute qu'avec Mario et Christiane (c'est le prénom de la mère), ils ont bu la bouteille même si elle était bouchonnée, puis se tait pour réfléchir. Son visage s'illumine.

MARC — Ah, il y avait la pêche ! Ça, c'était sa vraie passion ! Je dois avoir des tonnes d'anecdotes sur la pêche !

CÉLINE — J'étais fière, l'été où j'ai eu le droit de l'accompagner à la pêche de nuit dans le port de Saint-Gilles-Croix-de-Vie. La nuit, les contrôles étaient plus rares, on pouvait s'essayer sans permis. On attendait que ça morde, assis côte à côte. Papa m'avait laissé son tabouret pliant en tissu.

Une nuit, un bateau de pêche passé trop près du quai avait entraîné la ligne de Céline, qui n'avait pas eu le temps de la sortir de l'eau. Sans perdre une seconde, le père avait coupé le fil de pêche au bout de la canne avec son couteau de poche. Le moulinet, qui tournait à toute vitesse, s'était arrêté net. Céline était restée cramponnée à la perche, déterminée à s'y accrocher coûte que coûte. Une autre fois, Céline avait remonté une anguille énorme, un peu malgré elle, et longtemps après son père continuait de raconter son exploit au reste de la famille. Ça la rendait très fière. Plaire à ce

*père-là, ce n'était pas gagné d'avance. Il fallait être singu-
lière. Bonne élève, jolie ou drôle, avoir de la fantaisie ou
de bonnes manières, selon qu'on était l'aînée, la cadette ou
la benjamine.*

UNE AMIE DE CÉLINE — Il était profondément gentil et
généreux. Il était fou de toi et de tes sœurs, c'était flagrant.
Maladroit, c'est sûr, il ne savait pas vous donner d'affec-
tion, mais il faisait tout pour que vous ne manquiez de rien.
C'était sa manière à lui.

LA MÈRE — Ce dont je me souviens, c'est qu'une fois qu'il
était installé avec sa canne à pêche, on ne pouvait plus le
faire partir de là. Quand il pleuvait, j'attendais dans la voiture avec vous. Il ne voulait pas rentrer. Je lui disais : « Il y
a les enfants. » Il râlait et il me disait de partir, qu'il se
débrouillerait.

MARC — Ça me faisait un peu chier, la pêche, moi aussi.
Parce qu'il y restait des journées entières, sans bouger,
même par mauvais temps. Par contre, ce que j'adorais,
c'était aller aux champignons avec lui. Il connaissait toutes
les espèces de champignons et tous les bons coins pour en
trouver. Il savait beaucoup de choses.

CHRISTELLE — Papa, c'était le bricoleur. Il savait tout
faire à partir de presque rien. Il nous apprenait à siffler en
coinçant un brin d'herbe entre nos pouces ; il nous fabriquait des flûtes avec des tiges de bambou et du papier à ciga-

rettes ; il montait en haut d'un arbre pour suspendre notre balançoire. Il nous faisait rêver ; et il nous faisait rire quand ses petits trucs rataient. Comme le jour où il a voulu nous apprendre à enlever la coquille d'un œuf dur d'un souffle, en faisant deux petits trous de chaque côté de l'œuf. Manque de chance, il ne l'avait pas laissé bouillir assez longtemps. Quand il a soufflé dans le trou, l'œuf liquide a été projeté sur le mur d'en face.

MARC — Il y a aussi une fois où on est allés couper du bois et qu'on a failli se faire écraser par un arbre. Normalement, quand tu coupes l'arbre, tu fais une petite entaille du côté où tu veux que l'arbre tombe. Puis tu fais le tour, et tu entames l'autre côté à la tronçonneuse. Mais au moment de tomber, l'arbre a vrillé, à cause des nervures, et s'est abattu sur nous. C'était un gros arbre, bien touffu. Ton père s'est assuré que j'étais à l'abri avant de courir. Il était comme ça.

UN VOISIN — Il avait un savoir immense. Il m'a appris comment cultiver mon potager pour avoir un rendement maximum sans étouffer la terre ni utiliser d'engrais. Il connaissait bien les animaux, aussi. Il ne supportait pas qu'on leur fasse du mal. Une fois, j'avais posé des pièges dans mon jardin parce qu'un chien venait bouffer nos poules en lune ascendante. Ton père n'était pas content. Il m'avait engueulé.

CÉLINE — Au printemps, il nettoyait les gouttières. Il jetait les feuilles mortes, il se débarrassait des nids de moineaux.

Perché sur l'escabeau, il attrapait les oisillons un par un, les tenait à bout de bras au-dessus de son chien qui grognait de plaisir, et les lâchait. Je criais tellement, à chaque oiseau gobé par le chien, que mon père finissait par m'en donner un. On le mettait dans une boîte à chaussures garnie de coton. L'oisillon ressemblait à une chauve-souris. Il mourait habituellement dans la nuit.

UNE VOISINE — Il avait aussi un grand cœur, ton père.

UNE AMIE DE CÉLINE — Je me souviens d'une anecdote pas très intéressante en soi. Mais elle résume bien qui était ton père pour moi. J'étais tombée en panne de bagnole à Bazoches. J'ai appelé ton père et il est arrivé en trente minutes pour me dépanner. Je me souviens de l'avoir remercié encore et encore, et il m'a sorti cette phrase : « Tu es un peu comme ma fille, alors c'est complètement normal. » Papa venait de quitter maman, qui était en cure de sommeil. J'avais perdu tous mes repères, et il le savait. Ces quelques mots si lourds de sens à cet instant, je ne les ai jamais oubliés !

PHILIPPE — Une fois, on était en train de marcher, et j'ai vu des fleurs dans une serre. J'ai dit : « Tiens, je vais en prendre pour ta femme. » « Arrête tes conneries », qu'il m'a dit. Mais je l'ai fait quand même. C'était juste avant son mariage avec ta mère. Quand je suis entré dans la serre, les lumières se sont allumées. On s'est barrés, mais le garde-champêtre nous a rattrapés. Il m'a donné un coup de pioche dans l'estomac et je suis tombé raide à terre. Ton père, quand il a vu que je n'étais pas derrière lui, il est revenu sur ses pas, et il a cassé la gueule au garde-champêtre. Si tu me touchais, tu le touchais, et vice-versa. Au bal, c'était pareil. Si tu te battais avec l'un, tu te battais avec l'autre.

CÉLINE, *à sa mère* — Tu te souviens de cette histoire ?

LA MÈRE — Non, ça ne me dit rien.

MARC — Philippe, il était un peu mytho. J'ai jamais eu d'atomes crochus avec lui.

UN VOISIN — Ton père aimait suivre les leaders. Il aimait se mettre derrière eux. Jamais devant.

MARC — Quand il racontait des histoires, ce n'était jamais lui, le héros. Il faisait toujours de la place aux autres. C'est pour ça que je l'aimais bien, et que j'aimais passer du temps avec lui.

UN VOISIN — Les gens qu'il choisissait d'aimer, ceux avec qui il décidait de partager des choses, il les aimait corps et âme.

CÉLINE — Il ne le disait pas, mais il le montrait. Ça passait beaucoup par les cadeaux.

CHRISTELLE — Les cadeaux, c'était sa façon de... Je pense que, de l'amour, il n'en a pas reçu énormément. Montrer ses sentiments, ce n'était pas quelque chose qui existait chez eux – c'est un trait qu'on retrouve aussi dans la famille de maman.

Scène 11

LA MÈRE, CÉLINE, MARC

LA MÈRE — Quand j'ai accouché de Christelle, ton père, je l'ai vu juste une heure.

CÉLINE — Il n'était pas à l'hôpital avec toi ?

LA MÈRE — Il n'avait pas son permis, alors c'est ma mère qui m'avait conduite à l'hôpital. Il avait fait la foire tout le week-end et il s'était endormi dans l'herbe. Mon père l'a réveillé avec un seau d'eau sur la tête. *(Elle rit malgré la peine que réveille l'anecdote.)* Quand il est entré dans la chambre, il était encore ivre.

MARC — On était sortis boire un verre pour fêter la naissance à venir avec ton père et Philippe. On a rencontré trois gars qui nous ont fait monter dans leur deux-chevaux pour nous emmener dans un autre bar. Une fois arrivés, on était chauds. On s'est mis à plaisanter : « T'aurais mieux fait de pas la voler, cette bagnole. » C'était pour déconner, mais quelqu'un a dû nous entendre et prévenir les flics, parce qu'ils nous ont cueillis quand on a voulu repartir. Les gars n'avaient pas de clé. Pour éteindre ou démarrer le moteur, ils nouaient et dénouaient les fils de contact. Quand ils ont vu ça, les flics nous ont embarqués. Ils nous ont cuisinés toute la nuit, et puis la journée du lendemain aussi. Finalement, ils nous ont laissés repartir. Ton père a filé à l'hôpital. Il était tellement crevé qu'il s'est endormi sur la pelouse. C'est papa qui est venu le réveiller avec un seau d'eau. Moi, je suis rentré me coucher.

CÉLINE — Ça t'a attristée ?

LA MÈRE — Oui, plutôt. Bon, j'étais facile à vivre, mais il y avait des choses qui me manquaient. Il n'a jamais été très tendre. Il ne m'a jamais prise dans ses bras.

CÉLINE — Ses gestes étaient plus maladroits que tendres ?

LA MÈRE — Voilà.

Long silence.

LA MÈRE — Il ne m'a jamais dit qu'il m'aimait. Jamais.

La mère passe une main dans ses cheveux et secoue sa frange.

LA MÈRE — Il me disait que j'étais trop bien pour lui. Quelque part, c'était valorisant. Mais j'aurais aimé qu'il me le montre. Il était hyper jaloux. Hyper jaloux. Je n'avais pas le droit de me maquiller pour aller au boulot. Je n'avais pas le droit de... d'être trop élégante. *(Silence.)* On ne se disputait pas là-dessus. Je ne lui tenais pas tête. Y a un moment où, qu'est-ce que tu veux faire ? Tu sais très bien que ça va envenimer les choses. Je préférais me taire.

CÉLINE — Mais vous en discutiez plus tard ? Quand la poussière retombait ?

LA MÈRE — Ah non. Il n'y avait pas de dialogue possible avec ton père. Pas de dialogue. Quand on a acheté la maison, c'était difficile financièrement, avec ses cigarettes, son alcool et tout. Je lui ai dit : « Ça serait bien que tu diminues un peu. » Il m'a répondu : « Si c'est comme ça, autant aller vivre dans un appartement. » Qu'est-ce que tu veux ? Du coup, t'achètes la paix, et tu finis par ne plus rien dire.

Silence.

LA MÈRE — Pour qu'on s'en sorte financièrement, je coupais un peu sur la bouffe. On se serrait la ceinture. Les premières années de mariage, je faisais quand même des petits plats. Après, vous avez dû trouver que... que je n'étais pas un cordon-bleu. Je faisais des trucs rapides. Tu sais, quand tu as déjà ton travail et le reste.

167

Scène 12

CÉLINE, LA MÈRE, CHRISTELLE,
ÉLODIE, YANN

CÉLINE — Est-ce que vous avez été heureux, au début ?

LA MÈRE — Je pense que la façon dont son père s'est comporté avec nous, ça ne nous a pas aidés. Quand il a su qu'on allait se marier, Marcel m'a dit tel quel : « Vous me piquez mon fils. »

CÉLINE — Il a habité avec vous, c'est ça ?

LA MÈRE — Il n'a jamais habité avec nous. Sauf que, tous les dimanches matin, ton père partait le rejoindre au bar PMU, et puis il rentrait bourré à trois ou quatre heures de l'après-midi. Ça, je le vivais mal, quand même. À chaque fois, on s'engueulait, parce que j'essayais de dire quelque chose et puis, à un moment, tu dis plus rien.

CHRISTELLE — Moi, j'ai des souvenirs heureux de cette période. Il y avait toujours du monde chez nous le week-end. Maman me disait au téléphone qu'elle l'avait mal vécu, enfin qu'elle avait mal vécu le fait que grand-papa soit toujours là, mais pour moi, c'était plutôt extraordinaire, c'était une fête tout le temps.

CÉLINE — C'est ce que papa t'évoque comme souvenir de l'époque où tu étais petite ?

CHRISTELLE — Oui, le jeu et la fête. Tous mes souvenirs, c'est ça : soit il y a des gens à la maison, soit c'est le rituel du week-end, on va chercher grand-papa, on va au café, et on m'achète des bonbons.

LA MÈRE — Quand on est enfant, on joue dans son coin, on ne se rend pas compte des choses.

ÉLODIE — J'aimais bien les week-ends avec grand-papa. Mais aujourd'hui je ne voudrais pas de cette vie-là : avoir mon beau-père à la maison tout le temps.

LA MÈRE — Quand Marcel s'est fait opérer de l'estomac, il a arrêté de travailler, donc c'était tous les jours, tous les jours quand je rentrais, il était à la maison. Il mangeait avec nous, et ton père le ramenait chez lui après le repas.

CÉLINE — Et il buvait tous les jours ?

LA MÈRE — Oui, mais surtout, t'imagines, t'as ton beau-père tous les soirs avec toi. Plusieurs fois, j'ai demandé à ton père : « Bon, il va venir souvent ? » Il me répondait : « C'est mon père. » « Tu pourrais peut-être... Tu pourrais peut-être le voir un peu moins souvent ? » Il me disait que, moi, je voyais mon père tout le temps. C'était pas pareil. Mon père, il était tout seul. Ma mère venait de le quitter. Il avait besoin de moi. Et puis, son père, il n'était même pas gentil avec moi.

CÉLINE — Qu'est-ce qu'il te disait ?

LA MÈRE — Que je ne savais pas vous élever et que vous finiriez par me tourner le dos. Il me parlait aussi de ma mère qui était partie.

Quelques années plus tard, au cours d'une discussion dans la cuisine, la mère dira à sa fille : « Une fois, ton père l'a frappé. »

LA MÈRE — On avait passé une très bonne semaine tous les quatre en vacances. *(Élodie n'était pas encore née.)* Bon, j'avais eu ma rage de dents, mais ton père était allé me chercher des médicaments à la pharmacie. Quand on est rentrés, j'aurais bien aimé que ça dure un peu. Mais le soir même, ton père voulait retrouver son père au bistro. Je lui ai dit : « Non, Mario. Tu restes avec moi. » Il m'a répondu qu'il n'avait pas vu son père depuis une semaine, qu'il ne resterait pas long-temps. Finalement, il est rentré tard, avec Marcel, qui était saoul. Il avait passé toute la semaine au bistro à attendre ton père. Quand il m'a vue, il m'a insultée. Ton père l'a attrapé par le col de la chemise et il lui a mis une claque. Le lendemain, Marcel était de retour à la maison comme si de rien n'était. Il ne s'est jamais excusé.

Céline ne répond rien. Elle repense longtemps à cette histoire, et aux trois blessures qu'elle cache : celle de l'épouse déçue de ne jamais peser plus lourd que le zinc d'un troquet ; celle du grand-père qui n'oublierait rien de la honte qu'il s'infligeait à lui-même parce qu'il n'osait pas parler de sa solitude ; et celle du jeune homme qu'était son père, un jeune homme de vingt-quatre ans qui ne réussirait, ni ce soir ni ensuite, à être à la hauteur de l'amour ou des besoins des autres.

LA MÈRE — De toute façon, je ne pouvais plus l'encadrer. Même s'il m'offrait des cadeaux, qu'il ramenait de l'alcool pour l'apéritif... Il pouvait bien vous donner de l'argent, il n'avait pas de loyer à payer puisqu'il habitait chez Jeanne. C'est pas ça, aimer quelqu'un. L'amour, ça ne se mesure pas à la quantité d'argent qu'on donne.

Yann entre dans le salon, demande à la mère si tout va bien, et ressort.

CÉLINE — Il avait l'air inquiet.

LA MÈRE — Oui, il sait tous les cauchemars que je fais depuis quelques nuits.

CÉLINE — Est-ce que tu as envie de me parler de ta première rencontre avec lui ?

LA MÈRE — On s'est rencontrés dans un bal quand j'avais dix-neuf ans et, le lendemain, il m'a donné rendez-vous et il m'a posé un lapin.

CÉLINE — Ah ! Vous vous êtes connus juste un soir ?

LA MÈRE — Non, un mois après, avec ma copine Ghislaine, on était au bal du 14 Juillet. Yann est passé avec ses copains. On s'est parlé. Lui, tu sais, à cette époque, il s'en foutait, des filles. Il ne m'a même pas expliqué pourquoi il n'était pas venu à notre premier rendez-vous. Son copain est sorti avec Ghislaine, et nous, on est ressortis ensemble. On se revoyait, mais chaque fois il me disait : « T'as de la chance qu'Alain sorte avec Ghislaine, sinon je ne viendrais pas. »

CÉLINE — T'étais amoureuse de lui ?

LA MÈRE — Bien sûr, j'étais amoureuse de lui.

CÉLINE — Mais pas lui ?

LA MÈRE — Il n'y avait que ses copains qui comptaient. Par contre après, il a réfléchi. Il m'a envoyé une lettre où il me demandait de le revoir, mais j'étais avec ton père à ce moment-là. Et puis j'ai choisi de rester avec ton père.

CÉLINE — Papa avait l'impression que tu l'avais choisi par dépit.

LA MÈRE, *s'emportant un peu* — Je n'aurais jamais dû lui raconter cette histoire. Il y revenait sans arrêt. Alors qu'il aurait dû être content. Je l'avais choisi ! C'est vrai que j'étais encore un peu amoureuse de Yann, mais je me suis dit non, il va encore me faire des rendez-vous manqués et tout. Quand on s'est revus, on en a reparlé. Il était convaincu que, si j'avais répondu à sa lettre, ça aurait fonctionné entre nous deux. Il m'a aussi demandé si ça aurait changé quelque chose, s'il avait insisté, s'il était venu me voir chez mes parents. Je lui ai dit : « Si t'étais venu chez mes parents, je t'aurais plus laissé repartir. »

CÉLINE — Il n'en a pas fait assez, finalement ?

LA MÈRE — Voilà. Après, il m'a raconté qu'il passait parfois à vélo du côté de chez mes parents et qu'il m'apercevait de loin. *(Silence.)* C'est comme ça.

CÉLINE — Peut-être que ça n'aurait pas marché à cette époque, si vous aviez été ensemble.

LA MÈRE — Je ne peux pas te dire. C'est comme ça, puis c'est tout. *(Elle hausse les épaules.)* On a plusieurs aventures quand on est jeune, mais lui, c'est le seul dont je me rappelle le nom et le prénom. Et je me souvenais d'où il habitait. Quand j'ai été malheureuse avec ton père, je repensais à lui. C'est tout. Mais j'ai jamais essayé de revoir Yann.

CÉLINE — C'était ton évasion.

LA MÈRE — C'était mon évasion. Je repensais aux bons moments que j'avais eus avec lui.

CÉLINE — Comment tu l'as retrouvé ?

LA MÈRE — J'ai cherché son adresse dans le bottin. Je me disais : s'il n'a pas bougé, c'est qu'il est célibataire. Mais ça m'a pris du temps pour lui envoyer la lettre.

CÉLINE — Et il t'a appelée ?

LA MÈRE — Tout de suite. Je lui ai envoyé ma lettre le mardi de Pâques, je me vois encore la poster. Et le mercredi, il m'appelait. J'étais tellement excitée ; Élodie me répétait : « Calme-toi, maman ». Il me vouvoyait, puis il me tutoyait, il mélangeait tout. Je lui avais expliqué dans la lettre que j'étais séparée, et il m'avait demandé : « Mais vous... tu as retrouvé quelqu'un ? » Il devait partir en Bretagne le dimanche, et il m'a dit : « Faut qu'on se voie avant. » J'ai dit que oui, il n'y avait pas de problème.

CÉLINE — Il t'a dit qu'il était marié ?

LA MÈRE — Oui oui. *(Pause.)* Attends, non, qu'est-ce qu'il

m'a dit ? « Moi, j'ai une femme. » J'ai senti déjà, tu sais, à la façon dont il m'a dit : « Faut qu'on se voie », j'ai senti qu'il y avait quelque chose quand même. Et donc il m'a donné rendez-vous le samedi à deux heures, et je n'ai même pas pensé que... J'aurais pu me dire qu'il était peut-être devenu gros, ou quelque chose comme ça. Je n'ai même pas pensé à ça.

CÉLINE — Tu n'as pas eu peur de ce qu'il allait penser en te voyant trente ans plus tard ?

LA MÈRE — Non, rien. J'étais comme une ado. Et à deux heures, il était sur le parking du supermarché Atac.

CÉLINE, *qui pouffe de rire* — Vous vous êtes retrouvés sur un parking ?

LA MÈRE — Ben oui. Il me demande : « Qu'est-ce que tu connais à Plaisir ? » Je lui dis : « Est-ce que tu connais le supermarché Atac ? » Il me dit oui. « On se retrouve sur le parking d'Atac, alors. »

C'est sur ce parking que Céline a rencontré Philippe quelques jours plus tôt, entre voitures et lignes blanches.

CÉLINE — Et puis ?

LA MÈRE — Immédiatement, ça a été sûr. Bon, il y avait les problèmes avec sa femme. Du coup, je ne savais pas si ça allait durer. Je ne savais pas. Le lendemain, il est revenu me voir. Il m'a proposé de partir en Bretagne avec lui : « Comme ma femme ne vient pas parce qu'elle ne s'entend pas avec ma mère, si tu veux, tu peux venir, mais il faut que je demande d'abord l'autorisation à ma mère. » Et le lundi, il m'appelle : « Ma mère est d'accord, tu peux venir. » Alors je l'ai rejoint en Bretagne.

CÉLINE — Ah, putain.

LA MÈRE — Tu ne savais pas ça, hein ?

CÉLINE — Non. Ou j'ai peut-être oublié ?

LA MÈRE, *qui sourit* — Je l'ai rejoint en Bretagne. On a passé trois, quatre jours ensemble. Les lettres que je lui avais écrites quand j'étais jeune étaient restées pendant plusieurs années dans sa table de nuit, en Bretagne. Quand il s'était marié, sa mère les avait finalement jetées. Alors il a dit à sa mère : « C'est la jeune fille qui m'avait écrit les lettres. » Elle savait un peu qui j'étais. Et puis elle savait très bien qu'il était malheureux avec sa femme.

CÉLINE — Les premières fois que je l'ai vu, j'étais méfiante, parce que c'était un homme marié.

LA MÈRE — Élodie m'a répété ça. Mais il était tellement fou amoureux... Il a été vachement franc avec sa femme, il lui a dit tout de suite. Elle avait lu ma lettre. Alors il lui a dit : « Voilà, cette femme est très amoureuse de moi. Je te donne le choix, soit tu changes ton caractère et tu me rends la vie plus facile, soit je vais avec elle. »

CÉLINE — Tu sais ce qu'elle lui a répondu ?

LA MÈRE — Elle lui a dit : « J'ai cinquante ans, c'est pas maintenant que je vais changer ma façon de vivre. »

CÉLINE — Heureusement qu'elle lui a dit ça. Si elle avait décidé de changer, il ne serait pas avec toi.

LA MÈRE — Peut-être qu'il serait resté avec elle. Mais après un temps... J'en sais rien. Ça a quand même été dur pour lui. Sa femme nous a mis des bâtons dans les roues. Même qu'un soir, il m'a téléphoné ; il m'a dit : « J'arrête. » Elle le faisait trop chier. Je lui ai demandé : « Est-ce que tu tiens à moi ? Si tu tiens à moi, je vais t'aider, tu vas te battre et tu vas y arriver. Si tu n'as pas de sentiments pour moi, tant pis. Ça me fait mal, mais qu'est-ce que tu veux, on laisse tomber. »

CÉLINE — Tu penses qu'il n'aurait pas divorcé si tu n'avais pas repris contact ?

LA MÈRE — Il y pensait. Mais c'est quelqu'un qui ne veut pas blesser les gens. Il a eu du mal.

CÉLINE — Une séparation, c'est difficile. On met des années à...

LA MÈRE — Mais je l'ai aidé. Quand t'as personne qui t'aide, qu'il faut que tu fasses ça tout seul, c'est encore plus difficile.

Plus tard, dans la même conversation.

LA MÈRE — Quand j'ai annoncé à la voisine que je quittais ton père, elle m'a demandé : « Mais t'as quelqu'un ? » Non, j'avais personne.

CÉLINE — Pour elle, c'était inimaginable ?

LA MÈRE — Elle ne comprenait pas. Elle m'a dit : « Mais tu sais qu'Élodie, un jour, elle va partir. » Je lui ai répondu : « Oui oui, je le sais. Mais il faut que je me sauve, il faut que je sauve ma peau. »

ÉLODIE — Une fois, maman et Yann sont venus me chercher à Maule. Ça ne faisait pas longtemps qu'ils étaient ensemble. Je leur avais demandé de se garer plus loin pour que papa ne les voie pas. Manque de bol, ils sont passés juste devant lui pendant qu'il était dehors. J'ai regardé papa : « On en parlera la semaine prochaine. » En même temps, ça me faisait rire parce que papa disait toujours : « Les roux, ça pue. » Je m'étais bidonnée la première fois que j'avais vu Yann. Enfin, bref. Quand je suis revenue chez papa la semaine d'après, je lui ai dit : « Tu sais, je lui en fais baver, à ce mec. » Et il m'a répondu : « Si ta mère l'a choisi, je veux que tu sois bien avec lui. » *(Elle corrige le texte.)*

« Si ta mère l'a choisi, tu l'acceptes. » Ouais, je pense qu'il n'a jamais réussi à montrer à maman à quel point il l'aimait. Parce qu'il l'aimait.

CÉLINE — Je ne crois pas qu'il ait aimé d'autres personnes comme il aimait maman. Parfois, j'ai même l'impression qu'on passait après elle.

LA MÈRE — Je le savais, qu'il m'aimait. Mais même quand tu le sais, t'as besoin qu'on te le dise. T'as besoin qu'on te prenne dans les bras de temps en temps. Quand mon père est décédé... Je ne sais pas, avec Yann, quand je ne vais pas bien, il me prend dans ses bras. Mais pas ton père. Quand papy est décédé, j'aurais aimé que ton père me prenne dans ses bras.

CÉLINE — Mais il ne l'a pas fait ?

LA MÈRE — Non.

CÉLINE — Il ne supportait pas qu'on le prenne dans nos bras non plus. Quand son père est mort, j'ai essayé, il m'a repoussée.

LA MÈRE — Tu vois, quand son père est décédé, j'étais presque contente. Je me suis dit : « Bon, je vais le récupérer. » Mais là, il a plongé.

/

UN VOISIN — À l'enterrement de son père, au lieu de jeter une fleur sur le cercueil comme tout le monde, il a jeté une clope.

Scène 13

CÉLINE, LA MÈRE, PHILIPPE, UN VOISIN,
CHRISTELLE, ÉLODIE, UNE VOISINE

CÉLINE — À quel moment décide-t-on que quelqu'un est alcoolique ? À partir du moment où il gêne les autres ? Est-ce qu'on est alcoolique seulement par rapport aux autres ?

LA MÈRE — À partir du moment où quelqu'un se cache pour boire, il est alcoolique, je pense.

CÉLINE — Et papa ?

LA MÈRE — Au début, il buvait juste le soir. Mais après, il a commencé à boire toute la journée. Il avait des bouteilles partout. Le matin, il buvait son café, puis il allait dans le salon, il ouvrait la porte du meuble télé, et il prenait un apéritif.

PHILIPPE — Je ne l'ai pas vu pendant des années. Mais ta mère m'a appelé quelques fois, quand ton père pétait vraiment les plombs. Je lui disais : « Mario, tu déconnes. »

UN VOISIN — Je n'avais pas réalisé qu'il buvait. Mais un jour, je l'ai vu qui garait la voiture. Il est rentré une première fois dans le poteau au coin de la maison. Il a recommencé. Deuxième fois, pareil. Il n'y était pas allé fort, alors il n'a pas abîmé le pare-chocs, mais il a heurté trois fois le poteau avant de réussir.

CHRISTELLE — L'alcool, j'ai l'impression que c'est arrivé petit à petit. Mais le décès de Ludovic a été un déclencheur fort.

CÉLINE — Je ne sais pas si on peut dire que papa a commencé à boire à un moment précis.

CHRISTELLE — C'est sûr que c'est arrivé insidieusement, d'abord comme un liant social. J'en veux à ses amis de l'avoir encouragé là-dedans, même si de toute façon, dans sa famille, il y avait une habitude de l'alcool. Mais je pense qu'à partir de la mort de Ludovic... Ça a été flagrant à partir de là. Il a perdu pied. Tous ces décès dans cette famille, c'est quand même pas normal.

ÉLODIE — Il y a eu la mort de grand-papa, la mort de son frère Gaëtan, la mort d'Anthony, de Noëlle, de sa patronne et de Ludovic dans les mêmes années. Ludovic, dans cet avion, c'était trop pour lui. Il levait le poing au ciel et il disait : « Salaud, tu peux pas enlever un enfant. »

CÉLINE — Sans parler des morts qui avaient eu lieu plus tôt dans sa vie. Il disait sans arrêt qu'il serait le prochain sur la liste.

Dans cette famille, les événements qui ont ouvert les brèches sont racontés sur un ton neutre, comme on raconte les petites anomalies d'une journée quelconque. L'histoire d'un enfant monté dans un avion qui explose quelques minutes après le décollage. Ou celle, plus ancienne, de deux cousins que Céline et ses sœurs n'ont jamais connus, dont elles n'ont jamais vu de photos, ne connaissent même pas les prénoms. L'aîné meurt à la chasse. Il veut suivre le groupe de chasseurs. L'un des chasseurs – « un ado », dit la mère, un grand-oncle dans l'esprit de Céline – met en joue sa carabine et la pointe dans la direction de l'enfant pour lui faire peur. Il oublie qu'il vient de la charger, et il tire. Quelques années plus tard, l'autre enfant sort du bus scolaire, traverse la route pour rejoindre sa mère qui l'attend de l'autre côté, ne voit pas la voiture qui arrive en sens inverse.

CHRISTELLE — C'est comme ça que ça se passait. *(Silence.)* Il ne le montrait pas trop, il pouvait sembler froid ou distant, mais c'était quelqu'un de très sensible. Tous ces décès, ça l'a blessé profondément. Au bout d'un moment, il n'a plus géré.

CÉLINE — Qu'est-ce qu'il n'a plus géré, d'après toi? Sa peur de perdre des gens qu'il aime?

CHRISTELLE — Ouais, je pense. Et puis, à un moment, c'était trop, quoi. *(Longue pause.)* S'il en avait parlé, peut-être qu'il aurait réussi à extérioriser tout ça.

CÉLINE — Il venait d'un milieu où on ne parle pas beaucoup.

CHRISTELLE — Enfin, dans les milieux plus aisés, la parole n'est pas forcément présente non plus... et les sentiments peuvent aussi être tabous.

CÉLINE — Je ne sais pas. J'ai toujours eu l'impression que c'est sa classe sociale qui l'a tué. Qui a tué toute la famille. L'alcool, et la vie dure.

CHRISTELLE — T'as des gens qui deviennent alcooliques dans tous les milieux. Je n'étais pas dans sa tête, mais selon moi, l'alcool, c'était son antidépresseur. C'était son moyen de s'évader.

UNE VOISINE — C'est un engrenage, l'alcool. Ça enlève tout. D'abord le permis, et donc la liberté et l'indépendance. Le respect des autres. Le mariage. La maison. Le travail. La santé. Comment ne pas devenir dépressif après ?

UN VOISIN — S'il avait vraiment voulu arrêter, il aurait dû se faire hospitaliser. Mais il ne reconnaissait qu'à demi-mot son problème. Il disait qu'il buvait comme tout le monde.

CÉLINE, *irritée* — Mais c'est vrai, que tout le monde buvait ! Aucun de ses amis ne le freinait. Au contraire, quand il a essayé d'arrêter pour récupérer son permis de conduire, ses amis lui disaient qu'un verre de temps en temps, ça ne fait de mal à personne.

PHILIPPE — Quand on se voyait, je lui disais : « Moi, je ne bois rien. » C'est la vérité, je ne bois plus. Plus que des cafés. J'aime pas ça, l'alcool. Il me demandait : « C'est ma femme qui t'a parlé ? » Il pensait que ta mère montait les gens contre lui. « C'est pas elle qui me l'a dit. Arrête de me faire chier, je te connais. Ça se voit, c'est tout. » Je ne voulais pas lui avouer que c'est la petite qui m'en avait parlé. J'avais peur qu'il s'en prenne à elle, comme il s'en prenait à ta mère. Il était devenu un peu parano.

Scène 14

CÉLINE, LA MÈRE, ÉLODIE, UN VOISIN

CÉLINE — Tu as voulu partir à ce moment-là ?

LA MÈRE — Je voulais partir depuis longtemps, mais je voulais que vous ayez quelque chose, une situation. Déjà, toi, t'es partie jeune. Après, j'ai décidé de tenir le temps qu'il fallait pour que Christelle finisse ses études. Puis j'ai attendu qu'Élodie veuille bien quitter la maison avec moi. C'était dur pour elle. J'ai attendu qu'elle soit prête.

CÉLINE — Et tu vivais en haut ? Dans la chambre de Christelle ?

LA MÈRE — Oui, quand Christelle est partie, j'ai pris sa chambre. Parce que ce n'était plus possible.

CÉLINE — Qu'est-ce qui n'était plus possible ?

La mère ne répond pas.

ÉLODIE — À l'école, j'avais une boule au ventre toute la journée. J'avais peur de ce qui allait se passer le soir. Papa était devenu dur, avec le temps. Quand il n'y avait plus que maman et moi qui vivions avec lui, ça s'est envenimé. Parfois, je n'osais pas descendre de ma chambre. J'avais peur de le surprendre pendant qu'il cherchait de l'alcool dans le meuble télé. Chaque fois, il disait qu'il cherchait une cassette vidéo.

CÉLINE — Tu ne l'as jamais mis face à ses mensonges ?

ÉLODIE — Non. J'avais peur. *(Elle se reprend, corrige la phrase.)* Je n'avais pas le courage.

CÉLINE — Tu avais peur de quoi ?

ÉLODIE — Il ne nous a jamais tapées. S'il avait envie de taper, généralement, ça finissait dans le mur. Mais son regard... Même si c'était plus de la tristesse qu'autre chose, finalement... Je n'avais pas envie d'affronter ça. C'était dur. *(Elle ajoute : « parfois ».)* C'était parfois dur.

CÉLINE — Quand j'ai discuté avec Annette, elle me répétait sans arrêt : « Je m'excuse, mais je ne me rappelle que des choses positives sur ton père. »

ÉLODIE — Mais oui, parce que papa, il cachait son caractère quand il allait chez les autres.

LA MÈRE — Ça se passait à l'intérieur de la maison. Personne ne le savait. Ni les amis ni la famille. Parfois, Élodie allait chez les voisins quand on s'engueulait avec ton père. Le lendemain, je lui demandais s'ils lui avaient posé des questions. Mais non.

CÉLINE — Ça a duré combien de temps ?

LA MÈRE — Un an, peut-être. C'est vrai qu'Élodie en a bavé. J'encaissais beaucoup, mais quand je n'en pouvais plus, c'est elle qui écopait. Il pensait que je n'arriverais pas à partir, alors il me faisait chier. Après mon départ, il a continué. Je lui avais donné mon numéro de téléphone. Il n'arrêtait pas de me harceler. Une fois, j'ai fait une crise au travail, je tremblais, on n'arrivait pas à me calmer. Je suis allée en psychiatrie. J'ai dit au psychiatre : « Je vis toute seule avec ma fille, il ne faut absolument pas que... » Il m'a rassurée : « Non, je vois très bien que vous voulez vous en sortir. » Il m'a recommandé d'aller consulter, et c'est là que je suis allée voir un psychologue, qui m'a beaucoup aidée. Sinon, j'aurais fini internée.

Elle coupe d'un geste sec un fil qui dépasse de son pull-over.

LA MÈRE — Il faisait aussi du chantage à Élodie. Il l'appelait quand elle était toute seule dans l'appartement, et il lui disait qu'il allait se suicider.

ÉLODIE — Il me disait qu'il allait se taillader les veines et plonger les mains dans l'eau (j'ai encore les détails dans la tête), et qu'on le retrouverait mort. J'avais peur qu'il mette ses menaces à exécution. Il avait compris que je partirais avec maman. Je ne pouvais pas rester avec lui. Je me serais occupée de la maison et de lui. Ça aurait été trop compliqué.

CÉLINE — Plus que compliqué, ça aurait été...

ÉLODIE — Invivable.

LA MÈRE — Une fois, on fêtait Noël chez Marc. Élodie et Christelle étaient avec moi pour le réveillon et elles avaient prévu de passer le 25 décembre chez lui. En plein milieu de la soirée, il a téléphoné, il a tout gâché. Les filles se sont mises à pleurer. C'est vrai que c'était pas drôle d'être tout seul à Noël, mais bon...

Silence. Le regard de la mère se durcit.

LA MÈRE — Il a essayé de me récupérer. Élodie et Christelle m'ont convaincue d'aller manger au restaurant avec lui. Mais j'étais mal à l'aise.

CÉLINE — Il n'y avait rien qui aurait pu te faire changer d'avis ?

LA MÈRE, *hésitant* — S'il avait changé...

CÉLINE — Mais il ne changeait pas ?

LA MÈRE — Après notre séparation, il a arrêté de boire brutalement et il a fait un malaise à cause du manque pendant qu'il conduisait un tracteur. Il a été hospitalisé à Mantes. Je suis allée le voir deux fois. La seconde fois, quand je suis arrivée, il était dehors. Il se vantait : « Tous les jours, je sors de l'hôpital, je vais faire un tour, je vais boire mon coup. » Je n'en revenais pas. Je lui ai dit qu'il ne me verrait plus si c'était comme ça. Il sortait de l'hôpital pour aller boire. Tu parles !

ÉLODIE — Il nous disait qu'il ne buvait plus. On le croyait. On croyait qu'il prenait un verre une fois de temps en temps. Il nous avait raconté qu'avant de se faire virer de la ferme, il avait essayé d'arrêter totalement et il s'était mis à trembler tellement fort qu'il avait été obligé d'aller s'acheter un litre de rouge pour que ça s'arrête. Ça s'arrêtait dès qu'il buvait. Après, il pouvait se remettre à bosser.

LA MÈRE — Pour moi, c'était fini. Entre nous, ça n'a jamais été facile, mais on ne s'en rendait pas compte pendant qu'on était ensemble. À la fin... *(Pause.)* Je n'aurais jamais pu revenir, il aurait recommencé comme avant, ce n'était pas la peine.

UN VOISIN — Il y en a qui s'en sortent quand même. Il y en a qui s'en sortent.

ÉLODIE — À la fin, il avait changé. Je lui ai raconté certaines choses qu'il m'avait fait subir. Pas toutes. Mais les regards qu'il me jetait, oui, je lui en ai reparlé. Il me disait : « J'ai dû t'en faire salement baver. » *(Elle remplace cette phrase par : « À ce point ? »)* Il ne s'en souvenait plus.

CÉLINE — Malgré tout, est-ce que tu penses qu'il a quand même eu une vie heureuse ?

Sur la transcription, Élodie a biffé la réponse qu'elle avait donnée trois ans auparavant et inscrit à la place : « Oui et non. » Néanmoins, c'est la réponse biffée qu'elle décide de lire devant la caméra.

ÉLODIE — Je pense qu'il y a eu des bonheurs dans sa vie. Maman, déjà, en premier lieu. Puis nous, parce qu'il nous a aimées, même s'il n'a pas toujours su le montrer. Je pense qu'il y avait beaucoup de tristesse et beaucoup de malheurs cachés derrière tous ses verres d'alcool. *(Elle réfléchit.)* Il y a eu du bonheur, mais peut-être pas assez pour cacher tout le malheur. Et je le comprends d'autant mieux en grandissant. La vie est dure.

Scène 15

CHRISTELLE, UN VOISIN, CÉLINE

CHRISTELLE — Je lui en voulais de... de ne pas nous aimer assez fort pour tenir le coup. Qu'on ne soit pas une raison suffisante pour qu'il se batte. Mais ça, je lui ai pardonné aussi. Après, c'était sa vie... *(Silence.)* Il avait envie de mourir, et puis c'est tout.

UN VOISIN, *à Céline* — C'était un insoumis, ton père.

Madame HUYGHEBAERT Céline
6608 avenue de Chateaubriand
H2S2N7 MONTRÉAL
CANADA

PLAISIR, le 17 juin 2014

Madame,

Suite à votre demande du 17 juin 2014, nous regrettons
de ne pouvoir vous adresser les copies intégrales d'acte de
naissance et de mariage de Mr HUYGHEBAERT Mario.
En effet, ces actes ne se trouvent pas en notre possession.

Nous vous invitons à vous mettre en rapport avec la
Mairie de naissance et mariage de Mr HUYGHEBAERT
Mario, qui détient cet acte.

Nous vous prions d'agréer, Madame, l'expression de nos
salutations distinguées.

L'officier de l'État Civil délégué

Et pourtant, tout ce qui reste visible, dicible, c'est souvent le superflu, l'apparence, la surface de notre expérience. Le reste demeure à l'intérieur, obscur, fort au point de ne même plus pouvoir être évoqué. Plus les choses sont intenses, plus il leur devient difficile d'affleurer dans leur entièreté. Travailler avec la mémoire au sens classique ne m'intéresse pas : il ne s'agit pas d'archives où puiser des données à notre guise. L'acte même d'oublier, de plus, est nécessaire absolument : si quatre-vingts pour cent de ce qui nous arrive n'était pas refoulé, vivre serait insoutenable.

— Marguerite Duras, *La passion suspendue*

La disparition

L'alarme est lancée : les pères sont menacés, voire déjà morts.
— Lori Saint-Martin, *Au-delà du nom*

Il m'a dit : « T'inquiète pas, c'est rien, juste un examen. »

Je lui ai répondu tout bas parce que je vivais dans un appartement de carton, et que je ne voulais pas que mon colocataire m'entende. M'entende parler fort à mon père qui n'entendait rien.

Mon père.

Je ne me souviens pas de la première fois où je l'ai désigné sous ce vocable. Mais peut-être d'une période d'embarras pendant laquelle mes amis avaient abandonné le « papa » sans que j'arrive à les imiter, comme si je savais qu'il s'agirait du premier d'une série de coups que ma langue assènerait à notre relation.

Mon père a dit : « J'entends rien. » Et : « Saleté de téléphone. »

Parfois, je me raconte que je lui ai dit : « J'entends rien, moi non plus. »

Il a maugréé : « Saleté de pays. »

J'ai répété : «Saleté de pays.» Et puis j'ai dit : «Tu me manques, papa.»

Il a dit : «Quoi?»

J'ai répondu : «Je t'aime, papa.»

Et lui : «Quoi?»

«Je t'aime. Je te rappelle demain, papa.»

Et j'ai fait comme si ça coupait.

Mais ça ne s'est probablement pas passé comme ça. Sauf la fin. «Je te rappelle demain.» Et je n'ai pas rappelé.

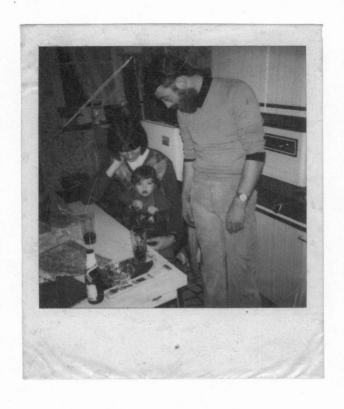

/

C'est mon père. Il mesure un mètre soixante-seize.
Il a les yeux bleus. Bleu-gris. Bleu fatigué. Une barbe
qu'il taille souvent mais ne rase jamais, sauf une fois.
C'est un samedi, il sort de la salle de bains les joues
lisses et nous pleurons devant son visage révélé, que
nous ne reconnaissons pas. Nous : ses filles.

/

Sa voix disait : le corps qui m'abrite va bientôt
disparaître [...]
   — Ryoko Sekiguchi, *La voix sombre*

L'aéroport

Je l'apprends à l'aéroport. Je ne me souviens pas de grand-chose, hormis de mes sœurs qui avancent vers moi dans un hall où tout le reste – voyageurs, roulettes de valises, tasses qui s'entrechoquent dans le café des arrivées, aiguilles sur une improbable horloge au mur – retient ses mouvements comme on étouffe une quinte de toux dans une salle de cinéma. Une image cliché de film pour seul souvenir du premier moment de ma vie de fille sans père.

Au téléphone, on ne m'a pas dit que mon père allait mourir. Mais peut-être qu'on ne le dit jamais. On dit : « Non, non, ne t'inquiète pas, ils ont juste décidé de le garder en observation. » Et puis, on finit par dire viens : « Viens, tout de suite. » On m'a dit de venir tout de suite, et on m'a envoyé de l'argent par Western Union, comme mon père a l'habitude de le faire depuis que je me suis installée à Montréal. Je vois ces petits versements réguliers comme des encouragements. Mais aussi comme le remboursement d'une dette émotionnelle : le remboursement de son absence – involontaire, éthylique, mais absence quand même –, de son

absence, et de la colère aux yeux humides qu'il nous a longtemps imposée, comme on le fait couramment quand on
est malheureux, et que j'ai aussi souvent provoquée lorsque
j'étais adolescente, peut-être pour me sentir exister, pour
qu'il m'entende, ou alors pour me venger de la honte que
je traîne partout, la tache noire, moi, cette fille-là, la fille de
mon père.

Ça arrive dans l'aéroport. Tôt le matin. J'aperçois mes
sœurs à l'autre bout du terminal et je le sais, que mon père
est mort, à la manière dont elles avancent sans se parler ni
se regarder, puis à l'expression désolée de leurs visages, puis
à la façon dont leurs bras se tendent lentement, très lentement, vers mes épaules. Il y a le cliquetis de l'horloge au mur
qui se superpose à cette scène depuis qu'elle est devenue un
souvenir, et que des tonnes d'images de films se sont mises à
combler les vides laissés par les détails que j'ai oubliés. Je le
sais sans qu'elles aient besoin de me le dire, pourtant, elles
le disent, que mon père – notre père – est mort.

Et peut-être que je le sais même déjà dans l'avion, alors
que je lis un roman où l'héroïne apprend que les mourants
ne devraient jamais mourir seuls dans une chambre d'hôpital. Les cachets que j'ai pris pour dormir me plongent dans
des rêves minute au cours desquels je vois mon père volant
derrière le hublot de l'avion ; et je me dis que mon père
pourrait très bien être déjà mort. Bien sûr, à ce moment-là,
ce n'est qu'une pensée, pas un corps dont il faut décider
quoi faire, comment l'enterrer, au son de quelles prières ;
c'est encore moins une absence. J'arrive à me raconter que
je viens veiller mon père malade, que je vais faire quelque

chose d'un peu fou, quelque chose dont je me sens incapable, mais que je veux faire quand même : passer deux semaines dans sa chambre d'hôpital. J'imagine tirer chaque soir un lit de camp de sous le lit de mon père, rangé là comme on range les gilets de sauvetage sous les sièges d'avion, me réveiller chaque matin à ses côtés, m'habiller vite, descendre à la cafétéria de l'hôpital pour acheter un café dans un petit gobelet brun, sortir dans la cour, m'asseoir sur un des bancs de pierre, regarder les malades tirer sur leur clope ou sur leur perfusion, revenir dans la chambre et y faire entrer l'odeur du vent et du tabac, sourire à mon père dont on aura redressé le dossier pour qu'il puisse petit-déjeuner, lui raconter d'un air enjoué des anecdotes inventées en chemin, et puis m'installer dans le fauteuil destiné aux visiteurs, sortir un livre de ma valise, le lire à haute voix, très, très lentement, pour qu'il y ait des silences dans lesquels mon père puisse me parler.

Je me demande quelle place prendront mes sœurs dans ce scénario, si elles passeront chaque soir pour remplir la soirée d'un bavardage qui ne raconte rien de précis, mais nous rappelle que nous appartenons à une communauté. L'infirmière entrera dans la chambre pour nous avertir que l'heure des visites est passée. Alors je regarderai mes sœurs se lever, enfiler leurs manteaux, me sourire, douloureusement, sortir, et je resterai à ma place, avec mes livres, dans le fauteuil des invités, jusqu'à ce que mon père s'endorme, et je referai tous les jours la même chose, non pas jusqu'à ce que mon père sorte de l'hôpital, ça, je sais bien que ça n'arrivera pas, mais jusqu'à ce qu'il meure. Je veux lire des romans à mon père comme d'autres caressent la main d'un mourant, ou le prennent dans leurs bras, pour qu'il se sente aimé, et peut-être pour que se passe quelque chose d'un peu transcendant, du moins quelque chose qui soulage, et que mon père meure, soit, mais en paix, et moi aussi, que je sois en paix avec sa mort, que j'écrive une autre histoire que celle que je suis en train d'écrire à présent, que je puisse raconter que mon père n'est pas mort seul, que ses filles se relayaient à son chevet. Les gens n'en reviendraient pas, c'est si beau, vraiment, des filles qui font des gestes comme ça pour leur père mourant. Par amour.

Il est plus de huit heures dans l'avion. C'est à peu près l'heure à laquelle mon père commence à mourir. J'aimerais me souvenir que j'ai collé mon visage contre le hublot et que j'ai articulé quelque chose à mon père, qui volait à côté de l'avion, pour qu'il arrive à lire sur mes lèvres ce qu'il ne pouvait entendre. Ou alors que je lui ai souri. Simplement ça, que j'ai souri à mon père. Mais je me souviens surtout que j'étais terrifiée face à la mission que je m'étais fixée : m'assurer que mon père ne meure pas seul.

La liste

Ce serait une liste exhaustive, sans commentaire aucun.
— Marguerite Duras, *Écrire*

Un jour mon père se lève à sept heures.
Un jour mon père me donne dix francs.
Un jour mon père va boire un verre au bistro.
Un jour mon père part travailler.
Un jour mon père répond au téléphone.
Un jour mon père joue à la pétanque.
Un jour mon père achète une maison.
Un jour mon père boit son café dans un bol.
Un jour mon père allume une cigarette.
Un jour mon père demande ce qu'on mange ce soir.
Un jour mon père tond la pelouse.
Un jour mon père répare la machine à laver.
Un jour mon père ramasse des champignons.
Un jour mon père est de mauvaise humeur.
Un jour mon père rentre tard.
Un jour mon père commande une tranche de pain
    pour accompagner son hamburger.

Un jour mon père sort son canif de sa poche.

Un jour mon père dit qu'il faudrait foutre une bombe
    sur tout ça en regardant le journal télévisé.

Un jour mon père s'engueule avec ma mère.

Un jour mon père perd son père.

Un jour mon père sort des toilettes.

Un jour mon père est généreux.

Un jour mon père regarde des films pornos.

Un jour mon père en a marre de manger toujours
    la même chose.

Un jour mon père est jeune.

Un jour mon père pleure.

Un jour mon père ressemble à d'autres pères.

Un jour mon père attrape entre ses mains un bourdon qui
    butine dans le parterre de lavande.

Un jour mon père répète toujours les mêmes anecdotes.

Un jour mon père s'endort sur le canapé.

Un jour mon père se fait renvoyer.

Un jour mon père fume des joints.

Un jour mon père dit qu'on ne gagne pas son pain
    sur le dos.

L'usine

Un jour il ne mange plus que des plats surgelés qu'il chauffe trois minutes au micro-ondes.

Le téléphone

Il meurt à 8 h 50 dans sa chambre d'hôpital, après un coma de trois jours, à l'âge de quarante-sept ans. Mes sœurs sont venues lui rendre visite le dimanche, avec des friandises et l'envie de croire que le plus dur était passé. On leur a dit dans le couloir de l'hôpital : « Votre père souffrait trop. » Le sac de friandises à leur bras avait l'indécence d'un paquet de chips dans une salle de cinéma indépendant. « On l'a mis dans un coma artificiel. » Elles ont emboîté le pas à l'infirmière, elles sont entrées dans la chambre. Elles ont vu leur père allongé paisiblement dans un lit, branché à un respirateur, ont inspiré un grand coup comme si c'étaient elles qui dépendaient de cette machine. L'infirmière les a encouragées à lui parler. « On ne sait pas s'ils entendent, mais parfois ils réagissent. » Alors elles se sont assises au bord du lit et elles se sont adressées à lui. Ça leur semblait bizarre, de produire dans ces circonstances, le plus naturellement possible, des gestes qu'elles n'avaient jamais osés avec leur père, lui prendre la main, caresser son bras, lui dire avec douceur qu'elles étaient là, qu'elles l'aimaient. Elles ont parlé de leur semaine aussi, ont raconté quelques blagues, pour donner l'impression à tout le monde qu'il ne se passait rien de grave. Elles sont sorties de l'hôpital, et Christelle m'a appelée. C'est là qu'elle me l'a dit : « Viens, viens tout de suite. » Elle m'a parlé de cirrhose et de cancer et d'hémorragie et de coma. Elle a dit que ce n'était pas un vrai coma, juste un coma qui soulage. J'ai tremblé en pensant qu'on ne lui avait probablement pas demandé, à lui, s'il préférait la douleur au coma, avant de lui injecter les sédatifs. Je suis certaine qu'il aurait choisi de rester conscient jusqu'au bout. Et j'ai eu la nausée en l'imaginant s'endormir sans savoir que c'était la dernière fois. Comme si c'était moi qui avais appuyé sur la seringue.

Le médecin a appelé Christelle le lundi matin. Très tôt. Il lui a dit que notre père avait eu une nuit difficile et n'avait pas tenu le coup. Elle a voulu répondre, mais quand elle a ouvert la bouche, un gros bloc de pierre s'est coincé entre son palais et sa langue, alors elle a raccroché, elle a pris son sac, son manteau, mis ses chaussures, elle est descendue dans la rue, a hélé un taxi, s'est fait conduire chez Élodie, une heure de taxi pendant laquelle elle n'a pensé à rien d'autre qu'aux mots qu'elle utiliserait. « Papa est mort. » « Papa a baissé les bras. » « Il est parti. » Oui, ce sont les mots qu'elle choisit. Elle prendra sa petite sœur dans ses bras, et elle lui dira : « Papa est parti. » Le bloc de pierre pourra glisser le long de sa gorge pour que la mort s'y creuse un nid, qu'elle puisse dire, quelques heures plus tard, dans le hall de l'aéroport, à son autre sœur, qui veut toujours qu'on dise les choses telles qu'elles sont : « Papa est mort. » Et ce sera elle encore qui l'annoncera à notre mère, partie tenter de rattraper le temps perdu sur une plage bretonne avec son amour de jeunesse retrouvé. À elle aussi, elle devra raconter l'examen, l'hospitalisation, l'hémorragie, le transfert dans un autre hôpital, le coma, la mort. Elle essaiera peut-être de la réciter à toute vitesse, cette histoire, pour qu'aucune question ne l'interrompe. « Mais pourquoi ne m'avez-vous pas prévenue plus tôt ? » Puis elle laissera ma mère reprendre son rôle d'avant, appeler tantes, oncles, amis, anciens voisins. « Mario est décédé. » Et la question reviendra de la part des proches : « Pourquoi ne m'avez-vous pas... »

« C'est arrivé trop vite. »

Ça aura été aussi brutal qu'un accident de voiture, personne ne l'aura vu venir. Sauf que ça n'aura pas été un accident. Et nos corps s'en souviendront.

Je me suis demandé ce qui avait poussé ma sœur à ne pas nous alerter plus tôt, ma mère et moi ; et j'ai longtemps cru qu'elle l'avait fait par jalousie ou amertume, pour nous faire payer notre absence – mon émigration au Canada, le divorce de ma mère –, deux désertions qui l'avaient obligée à devenir un substitut de la mère, à tout sacrifier pour le patriarche malade. C'est seulement aujourd'hui que je comprends qu'elle n'avait pas eu le choix ; après les week-ends à trier les factures, à changer les draps, à traquer les bouteilles dans tous les coins de l'appartement, à encourager, gourmander, s'inquiéter, elle avait continué à jouer son rôle sans déranger personne, jusqu'à ce que la maladie et la mort de notre père la fassent soudainement passer de femme responsable de lui à fille coupable de l'inconsolable tristesse de sa sœur arrivée trop tard pour le voir une dernière fois.

« La plupart des gens qui écrivent sur la famille, c'est vengeur, c'est agressif. »

Pour ma mère, c'est différent. En la laissant dans l'ignorance, ma sœur lui a épargné la peine d'avoir à choisir entre rester en Bretagne avec son amant et se rendre au chevet de son ex-mari. Ma mère n'aura jamais à s'en vouloir de ne pas être rentrée plus tôt. C'est un cadeau inestimable pour une femme dont le remords d'avoir survécu à ce mariage trouble déjà les nuits et la mémoire.

À l'aéroport, mes sœurs disent : « Papa est mort. » Entre nous, on ne dit pas « mon père » ou « notre père ». On dit « papa ». C'est quelqu'un qui devrait être le même pour chacune de nous trois, mais ne l'est pas. Elles disent : « Papa est mort. » Je n'ai jamais réussi à m'abandonner totalement à une scène d'effusion ou d'adieu dans un aéroport, mais ce matin-là, alors que les bras de mes sœurs qui essaient d'entourer mon corps me brûlent la peau, je pourrais crier. Ce n'est pas de la tristesse, ce cri ; c'est de la colère, une colère folle – folle, c'est bien le mot, parce qu'extravagante, déraisonnable, aveugle – contre mon père, qui ne m'a pas attendue avant de mourir, contre mes sœurs qui ne m'ont pas prévenue assez vite, contre les médecins qui ont, encore une fois, détruit une vie qui m'était chère, contre le décalage horaire qui, s'il avait été en sens inverse, m'aurait fait arriver la veille, contre tous les gens qui ont abandonné mon père malade, contre sa famille maudite où les morts s'entassent, contre la vie qui ne lui a laissé aucune chance, et contre moi. Surtout moi.

Le cri

Mon père était entré à l'hôpital de son plein gré, avec l'idée de se rétablir.
— Thierry Hentsch, *Les amandiers*

Il a eu une nuit difficile.
— Le médecin

Elle aura évité le cri de justesse.
— Marie Depussé, *Est-ce qu'on meurt de ça*

La mort est un phénomène technique obtenu par l'arrêt des soins, c'est-à-dire, d'une manière plus ou moins avouée, par une décision du médecin ou de l'équipe hospitalière.
— Philippe Ariès, *Essai sur l'histoire de la mort en Occident : du Moyen Âge à nos jours*

Et à partir de là, tout commence à s'effondrer. Tout commence à s'effondrer.
— Milan Kundera, *L'immortalité*

Le drap

À l'hôpital, on m'a demandé d'attendre que mon père ait été préparé avant de m'autoriser à le voir. « Préparé. » J'imagine que le personnel soignant dispose d'une salle toute blanche dont les tiroirs sont remplis de petites trousses étiquetées « décès », « séjour prolongé », « métastases ». Dans les trousses, il n'y a pas de médicaments, il n'y a que des listes de phrases. Votre père est parti. Il n'a pas été préparé.

On m'a demandé d'attendre que mon père soit « prêt », mais je ne peux pas. L'angoisse d'arriver trop tard continue de me tirer vers l'avant, la peur de poser mes yeux trop tard sur lui, ma main trop tard sur sa peau. « Je veux le voir. » Mon insistance me surprend. Je suis quelqu'un qui s'excuse quand elle frappe à une porte, quand elle demande conseil, quand elle ouvre la bouche. Mais je ne demande pas pardon pour ce dérangement-là. J'ai le droit d'exiger n'importe quoi, moi, la fille qui n'a pas pu voir son père vivant. Je demande à voir mon père, jusqu'à ce qu'on finisse par m'amener à un lit recouvert d'un drap blanc qu'une main soulève.

Ce n'est pas moi qui soulève le drap. Il y a plein de figu-
rants, ce jour-là et les suivants ; il y a des mains qui portent,
déplient, enveloppent, des mains qui signent, des mains qui
tapotent mon épaule, et des voix aussi, qui expliquent quoi
faire, parce qu'on ne sait pas, où commander les fleurs, les
faire-part, l'urne, le prêtre. Des mains soulèvent le drap,
alors je vois les paupières tuméfiées de mon père, son visage
couleur rouille, s'échappant du drap entrouvert comme les
viscères d'une baleine éventrée. J'ignore si c'est la mort ou
la cirrhose qui a teinté son visage, ou juste un onguent dont
on enduit les morts pour qu'ils ne pourrissent pas, mais c'est
comme ça que la mort s'impose : comme un boxeur de haut
niveau qui frappe jusqu'au K.-O.

La dernière fois que je l'ai vu, c'est l'été précédent, lors
d'un séjour en France dont il a probablement payé une
partie du billet d'avion. J'ai passé un après-midi chez lui
avant de repartir à Montréal – un après-midi, c'est déjà trop
long pour moi, forcément trop court pour lui –, et quand je
m'en vais, il me rattrape sur le parking de la petite place du
village où ma mère s'est garée pour m'attendre. Mon père
m'appelle, les yeux gonflés de ce bleu pâle qui déborde de
sa pudeur. La seconde d'après, il se donne une contenance :
« Ah, ton maudit pays », la voix étranglée. La mienne essaie
de le réconforter, de dire que je reviens bientôt, dans un
an, qu'un an, ça passe vite. Mais mon père est devenu plus
tendre depuis le divorce. Plus tendre, ça veut dire que les
choses vous rentrent dedans plus facilement. Ça lui rentre
dedans, la solitude.

On se prend dans nos bras, maladroitement ; sa fragilité perce sous les gestes brusques, je ravale mon envie d'en dire plus. Puis je monte dans la voiture de ma mère, qui me ramène chez elle, où je dors une dernière nuit avant de prendre mon avion ; et je pense à mon père qui pense probablement à moi qui n'ai pas passé la soirée avec lui, et je ne sais pas que cet au revoir est le dernier.

Personne ne peut me confirmer que les choses se sont vraiment passées comme ça : mon père qui court vers moi, ses larmes. « Ah, ton maudit pays ! » L'embrassade gauche. Son regard sur moi, ses mains dans ses poches pendant que la voiture quitte le parking. Personne ne peut me dire si c'est la douleur qui réarrange la chorégraphie de ces quelques minutes en une suite de tentatives ratées d'invitations d'un père à sa fille. Personne ne peut me promettre que l'exclamation de mon père, « Ah, ton maudit pays ! », ne deviendra pas quelque chose comme « Reste, je ne me sens pas bien », ou même « Reste, je vais mourir ». Et je referme quand même la portière de la voiture de ma mère pour partir. Avec le temps, un souvenir se recouvre de récits superposés jusqu'à ce que l'événement originel soit totalement hors d'atteinte.

Comment fait-on pour conserver intacts ces moments, dès lors qu'ils s'emmêlent dans le temps qui passe et le récit qu'en font les autres ? Faut-il tout enregistrer, chaque seconde vécue par soi et par les autres, pour confronter aux archives ses souvenirs et les empêcher d'enfler au fil des réécritures ? Je n'ai pas de photographies de mon père enfant, encore moins de ses parents ou du reste de sa famille, mais je n'en ai pas besoin. Il y a tellement d'images, déjà, qui circulent, des films en noir et blanc, des cartes postales envoyées par des inconnus, des tableaux et des albums de famille – j'en ai acheté deux à l'aveugle dans une vente aux enchères à Paris –, qu'il me suffit de piller l'imaginaire collectif pour reconstituer les paysages de l'enfance de mon père. Ce qui manque, ce sont les captations des scènes dont j'ai été témoin et qu'on ne filme jamais : la séquence de mouvements avec lesquels mon père sucre son café chaque matin ; celle des gestes arrêtés à mi-chemin, un bras tendu vers moi et qui retombe ; et ce que j'appelle le geste de la fin, un zoom sur le visage de mon père, ses lèvres qui remuent, on entend : « Ah, ton maudit pays. » L'image tremble : c'est un film amateur. Il y a l'étreinte, les mots vides de réconfort, et les larmes de la fille. La fille de son père, elle pleure de le quitter, ce père qu'elle ne supporte pas plus de deux heures d'affilée. Mais ce moment-là est perdu, comme les autres.

L'arrivée des larmes dans une œuvre, c'est toujours émouvant.

— Bertrand Bonello, *à propos de son film sur Cindy Sherman*

Le toucher

Dans mes souvenirs, nous sommes revenues l'après-midi pour la présentation du corps. Mais le délai a plus probablement été de quelques jours. On nous emmène cette fois à l'extérieur de l'hôpital, devant la grosse porte métallique d'un bâtiment en pierre isolé, à un seul étage. Du moins, c'est le décor qu'a enregistré ma mémoire. Je pousse la porte – il faut qu'elle soit lourde – et j'emprunte seule le couloir qui mène à la chambre mortuaire. C'est une grande salle vide, aveugle. Mon père est allongé au centre, et son corps n'a plus rien à voir avec celui que les médecins m'avaient finalement autorisée à voir quand j'étais arrivée.

J'avance. J'avance lentement. J'essaie de franchir la distance qui me sépare de ce corps mort ; mort, mais maquillé par les soins de l'embaumeur, si bien maquillé qu'on n'est plus vraiment sûr que la mort a eu lieu, et on se penche à la hauteur du lit pour s'assurer que la poitrine ne se gonfle pas.

« — *Vous le connaissez ?*
— *C'est mon père.* »

« C'est un homme avec personne dedans. »

« Il est mieux là où il est. »

Lentement, je tends le bras. J'essaie de franchir l'espace entre ma main vivante et son corps mort. La dernière fois que j'ai touché sa peau, ça date. Le souvenir se superpose au présent de ce bras que je tends vers son corps. « Tu peux m'en mettre ? » Il me passe un tube de crème analgésique. Il s'est fait un tour de rein à la ferme. J'ai quinze ans. Ça lui coûte de demander de l'aide. Il n'est jamais malade – sauf le jour où il se trompe dans les proportions du pesticide qu'il préparait pour l'épandre dans les champs ; il est pris de spasmes, sa vision se trouble, il se couche sur la terre sèche et ouvre la bouche comme une carpe à la recherche de l'air qui ne veut pas entrer dans ses poumons. Mais il finit par se relever et termine sa journée sans aller voir le médecin. En voit-il un, de médecin, quand son frère forgeant une lame de métal rougi trébuche et la lui plante dans la cuisse ? Il raconte ces accidents avec une certaine dose de fierté, et dit qu'en dix ans de travail, puis en quinze ans de travail, en vingt ans de travail, il ne s'est arrêté que deux fois, pour la grippe, et juste le temps que la fièvre retombe.

Pour nos naissances, en a-t-il pris un, de jour de congé ?

J'aimerais chasser sa demande en secouant les mains dans les airs comme le font les femmes trop occupées, mais je n'ai pas d'autre excuse pour fuir que le désir de me consacrer à ma vie d'adolescente, alors je me tais, prends le tube des mains de mon père. « Tu peux y aller plus fort. » Mes

mains acquiescent, s'enfoncent dans la peau fine et caout-
chouteuse, comme celle des grenouilles que mon père avait
pêchées dans un étang, en Corrèze où nous passions l'été. Il
fallait être deux pour les tuer, ces grenouilles, un qui main-
tenait la grenouille contre une bûche en tirant sur ses pieds
pour déplier ses pattes, l'autre qui, d'un coup de hache, sec-
tionnait les cuisses.

J'étale la crème sur le dos de mon père, la crasse roule,
décollée par la friction, qui fait remonter l'odeur si particulière que les travaux à la ferme ont donnée à son corps, une
odeur que j'ai retrouvée une fois à Montréal, dans une bro-
cante, en me promenant à travers les rayons chargés d'outils huileux, l'odeur de cambouis et de poussière, l'odeur
de mon père.

Il y a un autre souvenir qui se superpose à celui-ci. Il
date d'un matin plus ancien où je tends le bras vers l'épaule
de mon père, qui boit son café en tremblant parce qu'on
va enterrer son père à lui. Je pose ma main sur son épaule,
un geste timide, retenu comme le poids d'une adolescente
qui s'assied sur les genoux de son petit copain, mais je le
touche quand même, et il repousse ma main avec colère,
en me demandant de le laisser tranquille. C'est vrai qu'il y
a eu l'alcool. Mais c'est avant, bien avant, que mon aversion
pour le corps de mon père s'est amorcée.

De tout ça, je n'ai pas encore la mémoire alors que j'essaie de tendre mon bras vers son corps mort. Les petites
peaux desséchées qui roulent sur son dos que je pétris,
l'enfant qu'il m'a raconté avoir été et le père qu'il a essayé

d'être n'existent pas encore sous la forme d'un récit. Il y a ce corps allongé, les paumes tournées vers le plafond, la bouche entrouverte, les paupières qu'on imagine avoir été abaissées par une main habituée à fermer les yeux des morts. Il est habillé. Mais de quels habits ? De vêtements que mes sœurs lui ont apportés lors de leur dernière visite ? Ou est-il simplement recouvert d'un drap blanc qui remonte jusqu'à ses épaules ? Encore une fois, difficile de retrouver la singularité de la scène originelle alors que s'y superposent des représentations collectives de morts allongés dans des funérariums.

J'aimerais prendre ce corps dans mes bras, sentir une dernière fois le contact de sa peau fine, et me faire tatouer l'odeur de crasse qui n'existera bientôt plus. Je suis persuadée que j'aurais pu le faire dans l'hôpital, quand son visage avait la couleur de la mort, si on m'en avait laissé le temps. Mais à présent le maquillage a rendu à la peau l'aspect cru et rêche qu'une vie entière passée dehors lui avait donné. Dans cette mise en scène d'une mort qui ne devrait pas trop se voir, j'ai l'impression qu'on a ramené mon père à la lisière de la vie. Il pourrait basculer d'un côté ou de l'autre à tout moment, et s'il basculait du côté de la vie maintenant, il nous faudrait saisir cette chance au vol pour construire une nouvelle relation, lui et moi, réparer chaque impair et le remplacer par de la communication. Ce serait un impératif, parce que je ne pourrais pas laisser mourir mon père une seconde fois sans avoir rien changé ; et je ne suis pas sûre que j'en serais capable. Et d'avoir peur de quelque chose qu'on devrait souhaiter plus que tout au monde – revoir son père vivant – me plonge dans un état de confusion où remords et angoisse se donnent la main.

J'essaie à plusieurs reprises de toucher ce visage, ce bras, de l'effleurer au moins, avec la même retenue que l'adolescente qui massait le dos de son père. Allez, je me contenterais même d'un contact indirect à travers le tissu du drap ou de la chemise, et peut-être certaines fautes pourraient-elles être pardonnées, certaines blessures colmatées si j'y arrivais. Mais je n'y arrive pas. Chaque fois que je tends la main, elle est stoppée par la peur irrationnelle que ce contact réveille le cadavre de mon père, la peur que sa main attrape mon poignet, même si je sais bien que le seul événement qui puisse advenir est la rencontre d'une peau froide et dure. Ma main s'arrête à quelques millimètres de sa peau, et la panique est proche de me faire sortir le cœur de la poitrine.

Alors je me résigne, et m'éloigne du lit. Je m'appuie contre le mur de la chambre – on dit « chambre » pour que le mot fasse oublier qu'il s'agit d'une salle vide loin à l'écart de l'hôpital, où se succèdent des corps morts avant qu'on les mette en bière. Et je dessine. Au crayon. Cet homme allongé, visage tourné vers le plafond, dont je ne me souviens plus s'il est en pierre, en ciment, en bois. Je dessine une bouche entrouverte d'où s'échappe une longue pensée grise.

On ne devrait pas limiter nos archives aux moments heureux. Les moments tristes, les moments durs, les échecs et les morts nous constituent autant que les mariages, les fêtes et les voyages. On me répondra que la douleur paralyse, que ce sont des événements trop écrasants pour qu'on pense à sortir son appareil photo. Pourtant, s'il est possible de s'extraire brièvement de la joie pour l'enregistrer, ne pourrions-nous pas mettre notre tristesse sur pause le temps d'une photo? J'aimerais, aujourd'hui, avoir des traces plus précises que des images mentales et des dessins pour m'aider à me souvenir du corps de mon père. Est-ce un désir si indécent? Vaudrait-il mieux fuir ce corps et l'image qu'il forme dans ma mémoire, parce que le risque est trop grand que cette vision remplace celle des anniversaires dans les albums photo?

« Bien entendu, la fuite n'est jamais la seule solution. Oui, il convient d'affronter. Mais jusqu'où? Faudrait-il se saisir nous-mêmes d'un scalpel, ouvrir le corps, le fouiller, lui faire des scans, les revoir, des analyses, les revoir, tout dépecer, découper, décortiquer? »

« [...] si tu veux connaître à fond les parties d'un homme disséqué, tu dois bouger soit son corps soit ton œil pour l'examiner sous différents aspects, par en dessous, par-dessus et de côté en le faisant tourner et en étudiant l'origine de chaque partie. »

« Longtemps nous ne voyons qu'un côté d'une personne parce que, par instinct de conservation, nous ne voulons pas du tout voir l'autre côté, pensai-je, jusqu'au moment où, subitement, nous voyons tous les côtés de cette personne et alors, nous sommes écœuré. »

Ou alors, non pas écœurée, mais déçue. Parce qu'aucune de ces opérations ne permet de retrouver la vérité d'une personne.

Dans la chambre mortuaire, les autres font des visites elliptiques, jettent un bref regard sur le lit en me spécifiant qu'ils préfèrent «garder une image de lui vivant». Je me demande quelle sorte de risques j'encours à laisser au mort le temps nécessaire pour qu'il fasse sa place, si ça peut m'amener à oublier l'homme vivant. Pour moi, rester auprès de lui est au contraire le moyen d'enregistrer quelque chose de tangible, avant que le reste disparaisse, de prendre une dernière empreinte de l'existence de mon père, comme lorsqu'on fabriquait, jadis, un moule directement sur le visage du mort.

L'odeur de ceux qui sont partis ? Qui la conserve ?
— Ryoko Sekiguchi, *La voix sombre*

/

La photo date de 1997. Plus je la regarde, plus je me
rends compte qu'il est impossible de faire le portrait
de cette personne.

La cérémonie

Et puis il y a eu la cérémonie. Quelque chose qui ne ressemblait pas à l'idée que les films américains avaient implantée dans mon imaginaire. Il n'y a pas eu de maladresses lâchées par une amie, sœur, fille ou ex-femme, pas de témoignages lus au micro face à la nef ; seulement deux ou trois voix aiguës et chevrotantes, psalmodiant les chants d'église et les prières que le prêtre orchestrait : des textes pieux – « c'était le fils de Dieu », « il a retrouvé sa mère, son père, ses frères Patrice et Gaëtan... », « il est arrivé au terme de son chemin sur la terre et Tu l'accueilles au seuil de Ta maison », « Seigneur, prends pitié de lui », « tu es en Dieu maintenant » –, des textes qui disaient qu'il était mieux maintenant, alors que la vérité, c'est qu'il n'était pas mieux ou pire, mais définitivement absent.

Moi, je voulais lire le Livre de Job. Il me semblait alors que c'était le texte religieux qui s'approchait le plus de la vérité nue, sans vernis, de ce que mon père avait vécu à la fin, petit homme malade recroquevillé sur une douleur qui frappe de manière incompréhensible. Je voulais lire le

Livre de Job d'un bout à l'autre, la bouche pleine d'un fiel qui se serait déversé sur une assemblée hébétée de ne pas recevoir les paroles sucrées qu'elle était venue chercher. Le prêtre a refusé. À la place, il m'a offert de piocher dans un pot-pourri de retailles du Nouveau Testament. Alors je me suis rétractée. En quelques jours, j'étais passée de la fille qui n'avait pas pu voir son père vivant à celle qui avait vécu loin de son père malade, un statut qui accorde moins de droits et, surtout, procure moins de certitudes sur la légitimité de ses choix. Je me réconfortais en me disant qu'un jour je serais assez grande pour prendre des décisions et les imposer aux autres. Je choisirais le lieu, je choisirais le prêtre, je choisirais la chanson et la prière. Mais la vérité, c'est qu'il n'arrive jamais, le moment où on cesse de craindre l'autorité des institutions, et celle des habitudes, et que les cérémonies continuent d'imposer leurs fleurs, leurs chansons, leurs beaux habits. Les gestes précis et calmes. On se place là où il faut. On agit de la seule façon possible. Et c'est plus tard, dans la solitude, qu'on se permet d'être désarticulé.

Les obsèques se sont passées, convenables et sages, à se remémorer un homme qui avait cessé d'exister depuis plus longtemps qu'on n'osait le dire. Il y avait un cercueil et un prêtre, une foule attroupée sur le parvis d'une église. On se racontait où on était quand on avait appris « la nouvelle », et qu'on était sous le choc, même si on s'y attendait depuis longtemps, on disait : « C'est un peu un suicide. » On ne disait pas qu'on y avait un peu contribué, chacun de nous, par nos petites lâchetés, et même par nos encouragements, quand on avait insisté, par exemple, pour lui servir un verre de plus parce que le vin, c'est pas de l'alcool, voyons, et que l'occasion était trop belle pour se priver d'une bouteille dont on avait tant besoin, mais tous moins que lui.

On a fait comme si son destin ne nous avait jamais concernés. On perdait un être cher, et c'était triste. Puis, on s'est promis qu'on garderait sa mémoire vivante, qu'on parlerait de lui souvent. Et ce dont on parlerait, on ne se l'avouait pas, mais ce serait uniquement des choses dont on devait se souvenir, les anecdotes qui faisaient couler dans nos veines un sirop agréable, pas le mauvais vin qu'il buvait pour se perdre. Ça construirait l'image d'un bon vivant, une image où il manquerait plein de morceaux, l'homme craquelé, qu'on avait tous un peu arrêté d'aller voir, parce qu'il était dur, ou simplement parce que sa tristesse était devenue trop rêche pour qu'on supporte de lui tenir compagnie. On construirait un personnage avec les souvenirs qui datent d'avant : les déconnages, comme ils disent ; les petits larcins de sa vingtaine, qui avaient fait la fierté de ses amis ; l'humour ; et on boucherait les trous avec sa générosité légendaire. On le ferait par respect pour le mort, et peut-être aussi pour se nourrir d'une bonne énergie, comme nous le conseillent les livres de développement personnel, parce que l'amertume, le ressassement, la colère, le défaitisme ou le pessimisme, ça dérègle l'équilibre acido-basique ou ça produit des radicaux libres, en tout cas, ça empêche de vivre bien et de vivre longtemps.

À la fin de la cérémonie, il était prévu que chacune des trois filles se lève, avance jusqu'au cercueil, le contourne pour faire face à l'assistance et dépose une marguerite sur le couvercle. Élodie s'est levée. Elle s'est approchée du cercueil, a déposé la fleur et marché jusqu'à la sortie en pleurant. Ça aurait dû être à mon tour, mais je n'arrivais pas à me lever. Quelque chose en moi résistait, l'idée que je retenais le corps de mon père avec nous en retenant mon geste, ou alors simplement le fait que mon père aurait probablement désobéi s'il avait été à ma place, qu'il aurait choisi un geste brutal et intime, forcément irrévérencieux. J'ai essayé de rester immobile et silencieuse, de résister à l'obéissance. Mais je me suis finalement levée. J'ai jeté la fleur sur le cercueil sans redresser la tête et j'ai couru dehors pour échapper à la honte. Je pense que tout le monde a pris ma fuite pour de la tristesse.

« *Une femme que je n'avais jamais vue s'est avancée vers moi et elle m'a dit :* ‹ *Il est plus heureux là-haut.* › *Je l'ai regardée fixement jusqu'à ce qu'elle s'en aille. Je me rappelle encore le petit chapeau noir et rond dont elle était coiffée.* »

Après la cérémonie, la foule s'est dispersée. Il était tard, on avait du travail, des courses à faire, un dîner à préparer, de la fatigue accumulée. Et nous avons formé un minuscule cortège de deux voitures, qui avançait dans la campagne pour aller incinérer le corps. C'était un jour de semaine. On avait partagé des anecdotes sur le parvis de l'église. C'était déjà beaucoup.

Dr. SAIDEH KHADIR, M.D.
Lic. 98-026-3
CLINIQUE MEDICALE D'URGENCE
1814 EST, BOUL. ST. JOSEPH
MONTREAL, QUE., H2H 1C7
TEL. 523-3563

Pour........ *Hmy galbant.   C.*

Adresse..

℞   Date.......*10 - 4 - 12*

larme artificielle

[signature]

REPETATUR	1	2	3	4	5		NR

Les cendres

À l'entrée du crematorium, il y a un livre d'or, comme à l'entrée d'une galerie d'art ou sur la table d'une chambre d'hôtel. On s'attendrait presque à y lire que l'expo était belle, la chambre confortable, merci. Mais on n'y trouve que des je t'aime, dont aucun ne s'adresse à la même personne, jetés là parce qu'ils n'ont pas pu être dits à temps et qu'ils sont devenus soudainement trop lourds pour qu'on les retienne.

Sur le petit écran de télévision accroché au mur de la salle d'attente, nous avons vu le corps de mon père entrer dans le four. Ma mère a dit qu'elle était soulagée. Pour la crémation de sa nièce, ils étaient directement dans la salle, derrière une simple vitre. Pendant qu'elle parlait des portes du four qui s'ouvrent et des flammes qui avalent le cercueil, je n'ai pas pu m'empêcher de penser aux Juifs dont on avait voulu nier l'existence jusqu'à tenter de faire disparaître son ultime preuve : le corps. Dans la salle d'attente, il y avait la musique que nous avions choisie ; je me suis dit qu'on brûlait toujours les corps en musique, peut-être pour couvrir le crépitement de la peau et des os. Nous n'étions plus que sept. Ma mère Christiane, mes sœurs Christelle et Élodie, ma tante Annette, mes cousins Grégory et Alexandre, et moi. Nous n'avons pratiquement pas parlé.

Puis on nous a remis l'urne.

J'avais pu regarder, intensément, longtemps, le corps mort de mon père, regarder intensément la peau jaune de son visage, boursouflée par la cirrhose, dans l'espoir de me souvenir de chaque détail. Mais je n'ai pas pu toucher l'urne qu'on nous remettait, pas plus que je n'ai réussi à toucher sa peau dans la chambre mortuaire. Tenir l'urne, c'était encore tenir son corps, et j'ai eu peur, peur de ressentir quelque chose, peur que les cendres soient encore chaudes.

Y avait-il une plaque sur cette urne ? Une plaque en cuivre sur laquelle était gravé « Ci-gît », suivi de son nom, de ses dates de naissance et de mort ? Ou bien avait-on décidé que ce serait une dépense inutile ? Je ne sais pas. Je ne sais pas non plus si nous avons bien fait, si c'est ce que mon père aurait voulu. Lui qui refusait d'entrer dans une église, aurait-il été contre la cérémonie que nous avions fini par lui organiser, de la même façon que la plupart des mariés choisissent l'office religieux, pour que ce moment ne soit pas qu'un détail dans leur histoire personnelle ? Si nous avions pu le lui demander, je crois qu'il n'aurait tout simplement pas voulu ça, tout ça. Mourir. Mourir et être mis dans une boîte. Mourir et être remplacé par des récits, puis des photos, puis du vide.

Quelques mois plus tard, mes sœurs ont apporté l'urne à Montréal pour que nous la vidions dans le Saint-Laurent. J'ai finalement touché les cendres. Les cendres étaient mortes depuis longtemps. C'est ce qui me vient en tête. Les cendres étaient enfin mortes.

L'appartement

Je n'avais pas touché son corps, mais j'aurais eu besoin de toucher chaque objet qui lui avait appartenu. De sentir son odeur de crasse. De dormir dans les peaux mortes de son lit. De manger les restes de son frigo. Mais il fallait s'occuper des papiers, des formalités, de la succession, de son appartement. Chez ma mère, il y avait une pile de formulaires qui attendait sur la table du salon. J'y jetais un coup d'œil furtif chaque fois que je passais devant.

Dernière adresse :
Date et lieu de naissance :
Date et lieu de mort :
Nom du père :
Nom de jeune fille de la mère :
Numéro de compte bancaire :
Coordonnées de la banque :
Numéro de sécurité sociale :
Nom du dernier employeur :
Relevé d'imposition de l'année précédente :

J'avais l'impression que les espaces vides m'étaient destinés, moi qui ne connaissais pas les réponses, pour accuser mon absence des dernières années. Alors j'ai laissé les formulaires sur la table.

Il a fallu vider son appartement. Tout. Ses armoires, ses placards, son lit, ses poubelles, sa boîte aux lettres, son frigo. Faire des cartons de choses à donner. La collection de verres à bière pour Philippe. Un service de vaisselle pour des cousins qui venaient d'emménager dans leur premier appartement. Je les imaginais vivre avec ces morceaux de mon père. Manger en tête à tête avec les assiettes de mon père sur la table. Les fourchettes de mon père. Les cuillères de mon père. La solitude de mon père. L'amertume de mon père.

Il y avait une benne à ordures, une grosse benne bleue sous la fenêtre du salon. On y jetait tout le reste, depuis la fenêtre. Ça faisait bong quand ça arrivait en bas. On jetait. Pas moi. Moi, je ne jetais rien par la fenêtre. Je ne faisais pas de cartons non plus. Quand j'en approchais un, c'était pour déballer les objets qui s'y trouvaient, comme si c'était Noël. Je promenais mon regard dans la pièce pour essayer de mémoriser une vie avant qu'elle parte dans la benne. La vie de cet homme que je ne connaissais pas. («Mais tu le connais!» avait objecté ma mère.)

J'ai pris un pantalon qui trempait dans une bassine; ma sœur a poussé un petit cri. Le jean était plein de sang. J'ai dit: «C'est pas grave.» J'avais envie d'être capable de penser que ce n'était pas grave de toucher le sang de son père. Je revoyais son corps étendu dans la chambre mortuaire, la bouche ouverte des morts et la peau d'un vivant, une peau d'apparence vivante mais statique, à jamais statique, que je n'avais pas réussi à toucher, et tous les menus objets insignifiants qui m'entouraient devenaient précieux. Ils dessinaient un portrait de mon père bien plus fidèle que celui que le temps allait construire. Mais il y avait trop de monde autour de moi, et bien trop d'agitation, pour que je m'immobilise, sorte mon appareil photo et saisisse la disposition des meubles, une image de la vaisselle sale dans l'évier, des moutons de poussière ou du matelas posé sur le sol de la chambre.

« J'avais l'idée de sauver des choses du passé qu'on ne peut pas sauver. Comment sauver quelque chose qui n'existe plus que dans sa tête ? »

Je déambulais dans l'appartement. Tous ces gens qui s'activaient. Bong. Bong. Les affaires qui tombaient dans la benne. Mon besoin de prendre mon temps. Le regret de ne pas avoir eu un moment seule dans l'appartement pour m'imprégner de son atmosphère. Ma manie de toucher les objets. Le désir de tout garder pour moi. J'aurais voulu en faire un tas au milieu de la pièce, un gros tas d'objets insignifiants, à côté duquel je me serais allongée sans plus me préoccuper de l'agitation générale.

« Mais on va mettre ça où, une fois que tu seras retournée à Montréal ? » On aurait pu ranger « ça » dans des cartons qu'on aurait stockés quelque part. Mes sœurs avaient bien des étagères en haut de leurs placards, des caves au sous-sol. Bien sûr. Mais elles ne voulaient plus vivre avec ça, avec le poids de mon père. C'est là que ça a commencé à se frotter, dans la rencontre de nos manières divergentes de porter la douleur. Christelle, qui avait été écrasée sous le devoir, voulait tout jeter, tout ce passé, elle voulait s'en débarrasser au plus vite. Vivre au plus vite. Moi, j'étouffais sous la culpabilité de ne pas avoir été là, de ne pas avoir su l'aimer comme il était – elle non plus, elle ne l'avait pas aimé bourré, irascible, mais elle était restée auprès de lui quand même. Et elle n'y croyait pas, que je lui demande encore de s'occuper de mon père, de ce qu'il restait de mon père, de tasser ses affaires à elle pour faire de la place aux vieilles bricoles de mon père, pendant que je repartirais vivre ma vie à Montréal.

Je ne rangeais pas. Je dévisageais le monde, les yeux brûlants de questions, et furieux, furieux, furieux, de ne tomber que sur des regards qui glissaient immédiatement vers le sol chaque fois que je les croisais. J'ai ouvert la bouche. J'ai ouvert la bouche pour ne pas faire comme d'habitude : partir en haussant les épaules comme si ça ne me concernait pas, et le regretter ensuite. J'ai ouvert la bouche pour que ce père mort soit aussi mon père, pour que ce chagrin soit aussi mon chagrin. Les mots sont sortis de ma bouche comme on explose. Ma sœur m'a hurlé de me taire. M'a accusée d'être partie. Nous avons dégouliné de vieilles rancunes.

La dispute, je ne peux pas la raconter. Nous ne sommes plus les mêmes personnes, et ces personnes, je ne veux plus penser à elles. Je les ai oubliées.

J'ai claqué la porte et il ne s'est plus rien passé que moi qui fume, assise sur un banc en pierre d'un village d'Île-de-France, pendant qu'elles finissaient le travail dans l'appartement, avec leur père, avec les affaires de leur père mort, qui continuaient de faire bong. Il y a cet ami d'ami qui est venu me demander de prendre sur moi pour faciliter le deuil de mes sœurs. Je l'ai regardé, ahurie. J'ai eu envie de le gifler. Mais je n'ai rien fait. On aurait dit que j'avais perdu quelque chose d'important, quelque chose de tangible pendant mon exil au Québec. Le droit d'avoir ma place ici. Alors je suis partie. Je me suis dissoute dans tous ces objets qui sautaient par la fenêtre de mon père.

Inventaire des objets
présents dans son appartement

Un matelas, une table de nuit, une bague sertie d'une éme-
raude, trois pipes, un permis de conduire, une carte d'identité, un passeport, une carte de crédit, un chéquier, un
porte-monnaie en cuir noir, une boîte d'allumettes, des
jeans troués et non troués en plusieurs exemplaires, un
anorak, une cravate, une chemise jaune, des t-shirts publi-
citaires, un gilet en laine beige, deux pulls marins, un pull
bleu pâle, des shorts découpés dans des jeans, un habit de
mariage, plusieurs sweat-shirts, des sous-vêtements, un pei-
gnoir, une écharpe, une ceinture, une montre, de la corde,
une couverture en laine bouillie, une couette, deux oreillers,
deux draps, deux draps-housses et deux housses de couette,
une paire de rideaux, une collection de verres à bière, un
couteau Laguiole, un couteau à champignons, des vinyles de
Johnny Hallyday et de Bob Marley, tous les *Gaston Lagaffe,*
tous les *Astérix et Obélix,* des *Picsou Magazine,* un livre
sur les champignons, des briquets, une carte routière, une
télévision, un magnétoscope, plusieurs films sur cassette

vidéo, un micro-ondes, un réfrigérateur et un congélateur, une plaque électrique, une cafetière, une machine à laver, un ensemble de couverts, d'assiettes et de verres, des saladiers, plusieurs casseroles et poêles, une passoire, un bol en faïence avec son prénom, un ouvre-boîte, un limonadier, un moulin à poivre, un bac à couverts, un grille-pain, des boîtes Tupperware, quelques torchons, un litre d'huile de tournesol, des pâtes, du riz, un melon, quelques boîtes de conserve, une livre de beurre entamée, une demi-baguette rassie, des bouteilles de vin rouge, une bouteille de porto, un rond de serviette, un arrosoir, un miroir, un bocal plein de pin's, deux fauteuils, quatre chaises de cuisine, une table en formica, un meuble télé, trois serviettes de toilette, une brosse à dents, un savon, du fil de fer, un coupe-ongles, un peigne, des ciseaux à barbe, une trousse de premiers secours, quelques médicaments, un tube de dentifrice, un shampoing pour cuir chevelu irrité, plusieurs paires de chaussures usées, une paire de chaussons, un trousseau de clés, une photographie de lui enfant, un album photo, quatre albums de timbres, une collection de pièces de monnaie en argent, une chaîne hi-fi, une casse d'imprimeur, un téléphone, un soufflet, un tisonnier, des planches de bois, une scie circulaire, des marteaux, un niveau, des pinces coupantes et non coupantes, deux perceuses électriques, des clous, des boulons, des vis et des tournevis de toutes les tailles, une tronçonneuse, deux cannes à pêche, une bobine de fil à pêche, des hameçons et des leurres de toutes sortes, des cuillères, des mouches et d'autres appâts rangés dans une boîte compartimentée à deux étages, une armoire en bois aux portes vitrées, un rouleau de scotch, une lampe de chevet, un radio-réveil, un lot d'enveloppes blanches, une queue de lapin sur un porte-clés, de la petite monnaie, un parapluie, deux télécommandes, un collier pour chien, des cartes sur la porte du frigo, une carabine à air comprimé.

Moi aussi je suis un objet.
— Clarice Lispector, *Un souffle de vie*

La brocante

À la mort de son frère, mon père avait hérité de ses collec-
tions – collection de pièces en argent, collection de timbres,
collection de verres à bière – qu'il a conservées comme il
jouait au loto : avec le désespoir du pauvre qui sait qu'il le
restera à moins d'un gros coup de chance. La plus précieuse
était la collection de timbres. Il y en avait de Chine, d'Aus-
tralie, même du Canada. Mon père me laissait jouer avec (je
prétendais m'intéresser à la philatélie et m'abonnais à une
revue spécialisée, mais je passais le plus clair de mon temps
à sortir les timbres de leur album et à les ranger dans différentes enveloppes, pour essayer de les réorganiser selon
des classements hétérotopiques qui finissaient toujours par
avoir raison de ma logique : que je choisisse un classement
par thème, couleur, pays ou taille, je me retrouvais avec un
timbre en trop, celui qui chevauchait plusieurs catégories et
me forçait à remettre en cause tout le système). Mon père
me répétait qu'un jour les timbres vaudraient une fortune.
J'ose à peine imaginer ce qu'il aurait pensé s'il m'avait vue
enfoncer dans mon sac, un matin, les albums de timbres

pour aller les faire expertiser à Paris. Pour moi, tout devait être dépensé, vite, parce qu'il n'y avait qu'aujourd'hui qui existait.

Mon père, au contraire, avait une manie de l'accumulation qui frisait la syllogomanie. Il ramassait et gardait tout. Chaque petit bout de fil électrique, chaque vis, chaque boulon était collecté, classé dans des tiroirs organisés par taille, forme et couleur. Le jour des encombrants était coché sur le calendrier de la cuisine. Dans les villages français, les meubles et autres objets volumineux ne peuvent être mis à la poubelle qu'à certaines dates fixes. Ces soirs-là, mon père attendait que la nuit tombe pour parcourir les rues à la recherche de trésors abandonnés. Il était fier de dire qu'il avait pris telle antiquité au nez d'un brocanteur qui faisait semblant de fourrager dans la poubelle d'à côté en espérant que mon père ne connaissait pas la valeur de ce qu'il avait entre les mains. Manque de chance, mon père surévaluait n'importe quelle babiole. Avec le temps et l'agrandissement de la maison, il a bientôt consacré une pièce entière à ses accumulations. Mais avant ça, les objets partaient avec lui le lundi matin et s'entassaient dans le réfectoire à la ferme ; ils revenaient parfois des mois plus tard, décapés, remis à neuf, dans notre salon ou dans celui d'un ami.

La syllogomanie est peut-être l'expression d'une névrose de transfert ravivée par chaque deuil. On croit qu'on accumule des biens, des souvenirs, des amis, et qu'un jour, toutes ces piles finiront par former un espace refuge grâce auquel on n'aura plus peur, ni de la mort ni de ce vide qui nous habite depuis l'enfance. Mon père essayait de conserver quelque chose qui file à toute vitesse. J'étais trop jeune pour comprendre. Je participais au mouvement de dilapidation des choses. Je ne lui ai pas dit, jamais, que ses timbres ne valaient rien. Qu'il avait suffi d'un coup d'œil à l'expert pour le savoir.

Sont-elles nombreuses, les familles où les morts s'accumulent en si grand nombre qu'on prend l'habitude de se donner rendez-vous au prochain enterrement, parce que les deuils sont plus nombreux que les occasions de faire la fête ? Ils sont tous morts, les proches de mon père : ses parents, ses frères et sa sœur, la moitié de ses neveux. Comme s'ils portaient une tache invisible qu'ils se transmettaient. Parfois je me dis que la tache a disparu avec sa mort.

La dernière fois que je suis allée voir Annette, elle m'a confié ses albums photo. J'ai scruté méticuleusement les pages des plus vieux, surtout celles où on voyait mes parents. Sur ces photos, il y a un barbecue, des tables de fortune, un enfant dans une voiture à pédales, les mains de mes parents qui s'entrelacent, le sourire de ma mère, le point de contact de son épaule et de celle de son amie, qui se colle à elle comme une adolescente, ma tante qui lève les mains vers ses tempes en riant... Mais pas de tache. À les voir tous si heureux, à les voir si heureux et si jeunes sur les pages que je tourne, je ne peux m'empêcher de penser que ce n'est pas un mauvais sort qui a provoqué les drames ou les morts, qu'il n'y a finalement pas de tache, mais simplement la lassitude, la lassitude et la déception, la lassitude et l'âge, qui ont brisé, usé leur confiance en l'avenir, comme on égratigne parfois, sur les photos, les visages de ceux dont on ne veut pas se souvenir. Et le temps, qui n'apporte rien de ce qu'il avait promis, ce temps qui a effacé leur jeunesse et fatigué leurs visages, est en train de s'abattre aussi sur mes propres photographies de jeunesse. À l'heure où je parle, il y a déjà sûrement, parmi mes amis, des victimes du même sortilège.

Les albums de famille racontent peut-être moins les événements heureux que la façon dont les gens se sabotent, comment l'horizon se resserre et les choix se raréfient, jusqu'à ce qu'on ait l'impression qu'ils sont tous derrière nous.

/

Juin 1975 – Les fiançailles.

La folie

Le deuil, au début, ça fait mal physiquement. Les semaines qui suivent mon retour à Montréal, je combats une douleur qui cherche à dévorer tout mon espace de vie. On approche du 1er juillet. J'attends que le temps passe dans un appartement vide que je dois bientôt quitter. Mon coloc est déjà parti, avec les meubles et les électros, pendant que j'incinérais mon père – on peut dire « pendant que j'enterrais mon père », mais « brûler mon père » ou « le réduire en cendres », ce n'est pas acceptable. J'ai posé mon matelas dans l'étroit salon, pour que la lueur des réverbères veille sur mes nuits et chasse les fantômes. Je mange, assise en tailleur dans le lit, des choses qui ne se cuisinent pas. Je ne dors pas. Jamais. Je fixe le plafond en écoutant les voix grésillantes qui sortent de mon radio-réveil.

Dans ma chambre, un pigeon en convalescence souille sa boîte en carton de merdes verdâtres. Je l'ai trouvé dans un parc au coin de l'avenue Laurier et du boulevard Saint-Laurent. Il essayait à tout prix de monter sur la table où je m'étais installée. Je n'ai pas pu m'empêcher d'y voir un signe et, dans ses yeux de pigeon blessé, le regard de mon père. Alors je lui ai fait un nid de mon pull et j'ai marché jusque chez mon ex qui n'habite pas très loin de là. Sur le chemin, j'imaginais nos retrouvailles comme une scène où j'étais quelqu'un de différent, et lui quelqu'un qui m'aime encore. Il ouvrirait la porte et, en me voyant, il ferait «eh ben», comme ça.

— Vite, il faut faire quelque chose pour mon pigeon.

— Mais je... tu...

— Tu as une boîte? Un carton? De la paille? Des graines de tournesol? De l'herbe? Tu vas bien?

Il disparaîtrait dans le fond de l'appartement, et je lui serais reconnaissante de ne pas m'avoir renvoyé la question. Il reviendrait avec une boîte en carton trois fois plus grande que mon pigeon. Je ferais des trous dans le couvercle. Il prendrait mon pigeon, le déposerait dans la boîte, me proposerait d'ajouter mon pull au fond pour que le pigeon reconnaisse mon odeur et se sente en sécurité, pendant qu'on sortirait acheter de la paille et des graines. Ce serait comme si on s'était vus la veille, avec la mort de mon père coincée entre les deux journées. On marcherait jusqu'à l'animalerie, et de l'animalerie à son appartement, munis des graines et de la paille, qu'on mettrait dans le carton.

Il dirait :

— Regarde, il ferme les yeux.

— Tu crois qu'il est en train de mourir?

— Non, non. Il s'endort.

— Ça sent bon chez toi.

Ça sentirait l'odeur de quelque chose qui mijote, et il me

proposerait de rester pour manger. Peut-être même que je dirais oui, que j'irais m'asseoir sur le sofa, et qu'il m'apporterait une assiette pleine et chaude, dans laquelle je picorerais sans appétit. Peut-être aussi que je lui demanderais si je peux rester dormir chez lui, en regardant par terre, juste une nuit, je te jure, il ne se passera rien, je serai partie demain matin avant même que tu ouvres un œil, je serai partie avec mon pigeon, promis. Et il ne me répondrait pas, mais il viendrait s'asseoir à côté de moi, et il caresserait mes cheveux, et peut-être aussi mon cou, et même mes épaules, et mes seins. Mon ex, il ressemble à mon père. Il boit comme lui quand il ne trouve pas le sommeil, en disant que boire du calvados, c'est comme croquer dans une grosse pomme verte. Rien de plus.

Bien sûr, ça ne s'est pas passé comme ça. Mon ex était chez sa nouvelle copine. C'est son coloc qui m'a ouvert. Il avait l'air content de me voir, encore plus content de m'aider, comme s'il savait qu'au fond, toute cette histoire était bien plus triste qu'elle en avait l'air. Il a trouvé une boîte, puis m'a proposé de rester pour manger, mais j'ai dit non. Je sentais que j'étais sur le point de pleurer, et je n'avais pas envie de lui dire que mon père était mort, parce que j'aurais eu l'impression de salir toute l'histoire en la réduisant, comme ça, à une phrase. Je suis rentrée à la maison, j'ai donné des graines de tournesol à mon pigeon, avec de l'eau, et j'ai tapissé le fond du carton d'herbe fraîche.

Mon déménagement sera le premier que je ne peux pas faire en taxi parce que je possède trop de choses. J'ai un canapé, une commode, une étagère, une patère, une bibliothèque, une mini-laveuse, une valise de livres, un matelas et deux sacs de vêtements. Ce n'est pas trop, quand on y pense. Et j'y pense souvent en regardant le plafond du salon. Bong. Bong. Bong. Je pense au bruit que font les choses quand elles sautent par les fenêtres et je regarde le plafond toute la nuit. J'écoute la radio. Je fume clope sur clope. Je regarde le plafond en implorant mon père de revenir. Ça a l'air fou, mais une partie de moi croit qu'il va revenir. Il le faut. Il faut qu'il me parle. Une dernière fois. Je ne suis pas équipée pour les chagrins définitifs. Je n'ai jamais vécu que des peines d'amour. Des peines qui peuvent être momentanément apaisées par l'espoir d'un retour ou d'une dernière explication. Alors je pleure. Je pleure en suppliant je ne sais quelle autorité divine coincée dans mon plafond de faire machine arrière. Je mange à même le sol. Je pousse de petits cris. Je suis un animal. Je ne dors plus. Je fume. Je pense que je ne dormirai plus jamais. Je n'arrive même pas à sortir pour marcher comme une folle, avec ma tête de folle.

Le jour, il reste des traces de mon père mort sur mon visage, mais on l'accepte avec indulgence, car je suis capable de fonctionner. Avec mes désirs secrets de folle en dedans. La vie n'a pas changé. C'est la même, exactement la même qu'avant, avec les mêmes formats de tickets de bus, les mêmes articles que le mois dernier dans les vitrines des magasins, les mêmes conversations dans les cafés, et personne ne s'en étonne. J'entends les discussions des autres et j'y participe de loin. J'apprends à mieux tenir les choses à l'intérieur. Les choses et les pensées qui m'obsèdent depuis que mon père est mort.

Le plus souvent, ces pensées tournent autour des quelques minutes qu'il a vécues juste avant de mourir. Comment me convaincre qu'il est parti lentement dans la mort sans s'en apercevoir ? Qu'il n'a pas paniqué au dernier moment ?

Par un drôle de hasard, le mois qui a précédé la mort de mon père, j'étais obsédée par une nouvelle de Tolstoï qui relate le drame très ordinaire et parfaitement atroce d'Ivan Ilitch, un bourgeois arraché aux plaisirs faciles du monde par une maladie qui l'entraîne chaque jour un peu plus près de la mort. Pour comprendre comment ce texte a pu naître, je me suis mise à lire la correspondance de Tolstoï, et je découvre dans mon obsession qu'il est un familier de la mort, comme mon père. À deux ans, il voit mourir sa mère, à huit ans son père. Puis, au fil des années, sa grand-mère, ses deux tantes, ses frères Dmitri et Nicolas, et quatre de ses enfants. Après être resté un mois au chevet de Nicolas, il déclare dans une lettre à un ami poète :

« Quelques minutes avant de mourir, il s'assoupit, puis se réveilla brusquement en murmurant avec terreur : ‹ Mais qu'est-ce que c'est que ça ? › Il l'avait vue – il avait vu cet engloutissement du moi dans le néant. »

Cette vision du mourant qui panique en apercevant la mort, bien sûr qu'elle se superpose à celle de mon père. Je l'imagine dans le lit de sa chambre d'hôpital. L'infirmière est venue le voir juste après le dîner. Elle a donné deux petits coups secs sur la perfusion pour relancer le sédatif qui stagnait, pris la température et la tension de mon père, remplacé le soluté et rempli la feuille de surveillance. Mais personne n'est passé depuis. La perfusion s'est bouchée.

C'est là que mon père se réveille. Il ouvre les yeux, regarde autour de lui, reconnaît la chambre, la chambre d'hôpital, essaie d'ouvrir la bouche. Dans sa confusion, il n'appelle pas l'infirmière ni le médecin, il appelle sa femme, qu'il a si longtemps et si mal aimée. Le coma lui a fait oublier qu'ils sont séparés. Elle, par contre, n'a pas oublié la séparation, mais elle aimerait oublier tout le reste, les années de ce mariage qui n'a pas tenu ses promesses, faire comme s'il n'y avait jamais eu que Yann.

Mon père évoquait parfois l'existence de cet homme qui avait quitté ma mère, et elle, dépitée, effrayée de finir seule malgré sa jeune vingtaine, se serait rabattue sur mon père, qui n'aimait qu'elle. Nous mettions cette histoire sur le compte de la paranoïa de mon père, paranoïa qui s'amplifiait d'année en année, jusqu'à ce que les complots envahissent son quotidien et qu'il place une carabine à air comprimé dans l'entrée, entre le mur et le meuble à chaussures, au cas où.

Une fois, dans un bal populaire, ses amis et lui avaient tendu une embuscade à un mec qui avait osé danser un slow avec ma mère. Le mec avait cru à une blague quand les gars l'avaient bousculé. Accroupi, la main écrasée sous une lourde chaussure en cuir, il souriait bêtement à mon père, qui lui souriait aussi.

Quand elle a divorcé, ma mère a enfin trouvé le courage d'aller voir si son fantasme pouvait encore se vivre, et elle a recontacté son amour de jeunesse. Depuis, elle entasse les heures de bonheur dans une histoire d'amour en accéléré qui, elle l'espère, sera un jour si pleine qu'elle fera disparaître vingt et quelques années de mariage raté. Nous, ses filles, nous l'espérons aussi. Pas qu'elle oublie, mais que le passé cesse de la poursuivre, et qu'elle soit enfin heureuse.

Pour l'instant, de cette fuite où ma mère s'est engagée pour survivre, mon père ne sait rien. Il sait qu'il est seul. La douleur qui l'a mené dans cette chambre d'hôpital est toujours présente. La pièce est saturée d'une odeur de putréfaction. Ses filles, les deux qui vivent en France, lui ont dit que tout allait bien. Qu'il passait juste des examens. Mais il a perdu le compte des jours. Et ça pue. C'est son corps. Son corps en train de mourir. Il meurt. Et personne n'est là. Ça aussi, il le sait. Il essaie de se rappeler l'époque où il était heureux. C'est une époque qui a existé, il en est sûr. Mais la douleur, les médicaments, l'humiliation sont bien plus proches que ce bonheur. Il faut qu'il remonte loin dans sa mémoire, plus loin que le souvenir des soirées assis dans le fauteuil de son petit appartement de Feucherolles, où rien – sauf peut-être une photo ou une carte collée sur la porte ? – ne l'empêche d'oublier qu'il a eu un jour une vie de famille et des amis. Il faut qu'il aille plus loin que la carte qu'il a reçue de sa fille cette année. Plus loin que l'humiliation subie sur des chantiers où il a été embauché après s'être fait virer de la ferme qui l'employait depuis ses dix-neuf ans. Plus loin que le jour où il a attendu des heures derrière la porte de l'appartement de sa sœur, qui faisait semblant de ne pas l'entendre frapper. Plus loin que le lit de camp qu'il avait déplié dans la chambre d'amis de Garancières pour ne pas avoir à dormir désormais seul dans le lit conjugal – et cette douleur dans le ventre ! Plus loin que l'acte de vente de la maison, et plus loin que la vision des amis qui entrent sans oser le saluer, qui emportent un à un les meubles et les cartons que sa femme leur désigne. Plus loin que la rage qui ne le quitte plus depuis le jour où on lui a retiré son permis de conduire. Plus loin que le sermon que lui débite le juge à son procès, plus loin que sa réponse : « Tout le monde boit ce que je bois. » Plus loin que la période à partir de laquelle le mur du salon porte la marque d'un coup de poing provoqué par les trop nombreuses engueulades avec sa femme et ses filles. Plus loin que le jour où sa fille menace de sauter par la fenêtre du premier étage s'il ne la laisse pas partir.

Mais alors quand, et où ? Où est-elle, cette image du bonheur ? Peut-être dans cette scène printanière d'un piquenique dominical à l'arrière d'un chantier, où bientôt leur future maison s'élèvera ? Ils ont déplié des couvertures sur les herbes hautes du jardin, si hautes que ses filles s'y promènent comme dans un labyrinthe duquel s'échappent des cris et des rires sans têtes. Ils ont déposé sur les couvertures des tomates, des œufs durs à la mayonnaise, du pain, du jambon, des fromages, du vin. Il regarde le jardin et se dit qu'il a tout ce qu'il a toujours rêvé d'avoir. C'est une pensée qui est loin de l'angoisser parce qu'à ce moment – il a vingt-huit ans –, il est persuadé que la vie avance vers le mieux, vers le plus. Il a commencé avec presque rien : une mère morte de la tuberculose, un père alcoolique, l'âpreté des hivers dans une maison sans chauffage où il fait si froid qu'avec ses frères et sa sœur, ils préfèrent s'habiller dehors ; son frère aîné est mort, trois de ses neveux aussi, tout ça avant qu'il rencontre Christiane, cette grande femme inquiète de ne pas être aimée – et Dieu, qu'il l'aime – avec qui, depuis, il accumule les fêtes, les enfants, et maintenant cette maison.

Oui, l'image du bonheur remonte à cette scène-là, les filles avalées par les grandes herbes du jardin, lui et son père parlant de la terrasse qu'ils construiront l'été prochain, sa femme qui fait la sieste à l'ombre d'un tout jeune bouleau. Il se souvient de s'être dit qu'il n'a jamais été aussi heureux, et de l'inexorable détérioration jusqu'à ce lit d'hôpital où il va mourir, et il voudrait que quelqu'un le prenne dans ses bras. Qu'on le prenne comme il avait pris dans ses bras sa chienne Polka pendant la longue agonie qui avait suivi son empoisonnement. Il l'avait trouvée dans la cour de la ferme, recroquevillée, et avait foncé chez le vétérinaire. Dans la voiture, couchée sur lui qui conduisait, elle émettait de longs couinements en balançant sa gueule entre chaque convulsion, comme si elle cherchait une explication à sa souffrance. Alors mon père avait compris qu'il était trop tard. Il s'était arrêté sur le bas-côté. Il avait planté son regard dans celui de sa chienne, l'avait caressée. Polka était morte comme ça, rassurée, les yeux et le corps coincés dans ceux de son maître.

Ces idées ne me quittent pas tandis que les autres parlent dans la rue, que mon pigeon tapisse sa cage de fientes et que la vie continue de ne pas changer. Chaque jour, je remplace la boîte de carton souillée, je remets de l'herbe, de l'eau fraîche, des graines, et je pense à mon père. La boîte est ouverte. Le pigeon n'en sort pas. Même pas pour faire un tour dans la chambre. Je le regarde pendant des heures. Je le regarde me regarder. Il ferme les yeux. Il ouvre les yeux. Il boit. Il mange.

Il se laisse parfois caresser le dessus du crâne. Je pense à mon père allongé seul dans sa chambre d'hôpital, les yeux écarquillés sur une vie que la perspective de sa mort proche lui fait revoir avec un regard avide de sens. Ça, et le cri qu'il pousse.

C'est peut-être un cri d'effroi. Ou le cri qu'on pousse quand la mort est si évidente que le corps, refusant d'abdiquer, n'a plus d'autre arme pour s'en défendre que ce cri. Parfois, je me dis aussi que c'est un cri qui a pour unique but d'abasourdir celui qui le pousse, de recouvrir le brouhaha des souvenirs qui le persécutent quand personne n'est là pour l'en divertir. Le bourdonnement des excuses bidon, « j'étais débordé », « c'est pas le bon moment pour venir », et des promesses vagues, « on se voit bientôt ? », de ceux qui désertent sans l'avouer. La sonnerie du téléphone, puis les reproches, « on (mais qui ?) t'a vu tituber dans la rue ». Et la déception, « je croyais que tu avais arrêté de boire » ; quand tout ce que mon père voudrait, c'est être ce gars qui retrouvait ses amis chaque week-end au bistro du village, un mec drôle et bon vivant, facile à aimer. Il hurle, et son cri déforme son visage. La peur, c'est quelque chose qui fait beaucoup de bruit.

C'est fini

Et je me demande souvent, ma chérie, vers où est allée sa pensée lorsqu'il comprit qu'il allait mourir. Vers un regret ? Vers un visage jadis caressé ? Ou déjà vers l'immense ?
— Lydie Salvayre, *La compagnie des spectres*

Pour comprendre ce qui est arrivé à mon père, il faut que je m'imagine me réveillant fiévreuse et déchiffrant les lettres qui épellent une mort imminente.
— Siri Hustvedt, *Yonder*

« C'est fini ! » dit quelqu'un au-dessus de lui.
Il entendit ces mots et les répéta en lui-même. « C'est fini la mort, se dit-il. Il n'y a plus de mort. »
— Léon Tolstoï, *La mort d'Ivan Ilitch*

Pour ne pas me voir

Ou alors il a ouvert les yeux et aperçu l'heure sur l'horloge accrochée au mur d'en face. Il était huit heures. C'était brumeux, mais il s'est souvenu de la voix de ses filles qui lui avaient dit que Céline arriverait lundi. Alors mon père a fait exprès de mourir, ce matin-là, pour ne pas me voir.

« C'est ridicule, ça ne s'est pas passé comme ça », dira Christelle lors d'une conversation enregistrée.

Le voyage des cendres

Elles n'ont dit à personne ce que contenait la boîte qu'elles avaient rangée dans le coffre. Elles roulaient toutes les trois depuis Montréal ; le mort dans le coffre.

Céline espérait que ce voyage allait permettre de libérer bien plus que des cendres, ouvrir quelque chose qui s'était bloqué en elle, peut-être en elles toutes, quand elle avait entendu cette phrase, «papa est mort». Son père, le leur, tous morts le même jour. Aux commandes de l'autoradio, elle tentait de créer une atmosphère. Ou peut-être rêvait-elle que la musique – l'album *Angola* de Bonga – fasse éclater les bulles de silence qui écrasaient leurs poitrines, si grosses qu'elles emplissaient tout l'habitacle, feraient bientôt gondoler la tôle et briseraient les vitres.

Il faudrait que l'une d'elles lance une anecdote : «Tu te rappelles le jour où ?» Une anecdote qui les fasse rire, en amène une autre, une autre encore, et peut-être que de cette énumération découlerait un souvenir plus éprouvant. Elles en auraient d'abord peur, de ce souvenir. Elles auraient envie de faire marche arrière. Mais elles continueraient, et trouveraient aussi un plaisir étrange à parler de ce qui fait mal. Le récit de l'une viendrait étonnamment se glisser dans les brèches de la mémoire de l'autre. Elles comprendraient alors qu'elles sont en train d'écrire une histoire convenant à leurs trois mémoires, une histoire commune. Elles pourraient enfin se débarrasser des détails – car ce sont les détails qui font mal, les remords qui reviennent chaque nuit sous une nouvelle forme, la honte qui s'installe dans les lombaires, tout ce qui dépasse et ne se partage pas. Puis viendraient – le lendemain, peut-être ? – les autres souvenirs, ceux qui ne s'ajustent pas les uns aux autres, mais s'effritent en se cognant, « ce jour-là, tu n'aurais pas dû... », « il a pensé que tu... ». Alors il y aurait des larmes, et les larmes les videraient de leur colère et les prépareraient au moment où elles devraient laisser partir leur père, toutes les trois rassemblées sur la boucle du sentier de la Pointe-de-l'Islet dans le village de Tadoussac. Quant à la suite, elles ne sauraient pas à quoi ça ressemblerait. Dans les films, on ne voit jamais la suite.

Mais pour l'instant, la voiture les tenait serrées contre leurs peurs. Céline ne parlait pas. Elle avait bien en tête quelques phrases susceptibles de réveiller les mauvais souvenirs, mais elle n'en faisait rien, ne les notait même pas dans son carnet pour s'en servir plus tard. Elle avait mis le dernier album de The Police, étalé une couverture sur ses genoux, essayait de faire de cet espace confiné un abri confortable, de repousser la peur. Et pourquoi pas ? N'est-ce pas un peu comme ça qu'on imagine trois sœurs roulant le long du fleuve à la fin de l'été : chantant à tue-tête *King of Pain*, vitres ouvertes, la voiture qui se déporte sur la voie de gauche à chaque bourrasque ?

Elles sont arrivées aux abords de Baie-Sainte-Catherine en fin d'après-midi, ont pilé devant Le Vacancier – des cabanes bleu et blanc, prises en sandwich entre la route et le fleuve. Je me souviens très bien qu'elles ont freiné au niveau du restaurant et sont entrées sur le parking du motel. Je me souviens aussi de leur excitation et de leur hâte, au moment où elles se sont précipitées à la réception pour savoir s'il restait des chambres. C'était la première fois qu'elles dormaient dans un motel. Mais je ne me souviens plus de ce qu'elles ont fait après avoir apporté les valises dans leur chambre, ni si l'urne est restée dans le coffre cette nuit-là. Le matin, ça, j'en suis sûre, car je l'ai noté dans le petit carnet gris que je garde toujours sur moi, elles sont allées s'asseoir côté mer, pour regarder le soleil se lever à l'embouchure du fjord. Puis elles ont repris la route 138 jusqu'à ce qu'elle s'arrête net, devant le fleuve. Il était peut-être midi.

Nous avons marché sur le sentier de la Pointe-de-l'Islet, l'urne dans un sac. J'ai attendu d'avoir dépassé la première boucle pour sortir le ciseau à bois que j'avais emprunté à mon colocataire montréalais. Mes sœurs m'ont regardée, incrédules. Dans mes souvenirs, l'urne était comme un pot de peinture qu'on ouvrait en glissant une lame de couteau sous le couvercle pour faire levier – et je m'étais crue maligne, lorsque Christelle m'avait demandé d'emporter un tournevis, d'emprunter à mon coloc un ciseau dont le bout se faufilerait facilement entre le couvercle et la boîte.

Je n'avais pas imaginé une seconde que la boîte était scellée par quatre petites vis cruciformes.

J'ai proposé à mes sœurs de rebrousser chemin et d'aller à la recherche d'un tournevis au village. Nous avons jeté notre dévolu sur le premier établissement que nous avons croisé, le Gibard, une taverne lambrissée à la façade peinte en rose, qui sert de refuge aux artistes en tournée et aux marins qui reviennent de leur journée en mer. Il a fallu confier la boîte aux clients, elle s'est promenée de main en main, jusqu'à ce que quelqu'un pense avoir le bon tournevis dans le coffre de sa voiture. Je pensais à papa, qui aurait probablement été celui qui nous aurait dépannées, s'il avait été parmi eux. Les marins blaguaient ; quand ils auraient ouvert cette boîte, il faudrait qu'on leur montre ce qu'elle contenait. Sans rien leur promettre, on les a laissés faire.

Ils ont dû s'y prendre à plusieurs fois. Les vis étaient serrées fermement. La boîte a encore circulé, a fait une pause sur le comptoir, une vis a cédé, puis une autre. L'ambiance était exaltée. Peut-être la présence de ces trois femmes dans un bar d'hommes. Surtout cette boîte intrigante qui allait d'une minute à l'autre révéler ses mystères. Toutes les trois, nous la suivions des yeux. Il y avait notre père là-dedans.

La dernière vis a sauté, et l'une de nous a tendu la main, le plus calmement et naturellement du monde, pour la poser sur le couvercle. Les hommes ont protesté. Pendant quelques secondes, je me suis demandé quelle serait leur réaction si nous leur disions la vérité. Mais nous nous sommes regardées, et avons tiré l'urne vers nous. Nous sommes sorties, une main sur le couvercle, en disant merci, merci à tout le monde. Depuis, j'aime à croire qu'une légende est née ce soir-là au Gibard – car les marins font ça, ils inventent des histoires à partir de ce qui, dans leur quotidien, leur échappe –, autour de trois sœurs et d'une boîte mystérieuse.

Dans la voiture, sur le chemin du retour, je me la suis racontée : les marins s'étaient remis à discuter depuis un bon moment quand ils entendirent la chorale métallique des mâts dans le port. Ils se précipitèrent dehors et ils virent, à travers la bruine, une vague d'une hauteur qu'on n'avait jamais vue. Elle arracha les quais, coucha les bateaux, rompit les mâts, puis s'évanouit. On ne revit jamais les trois sœurs dans le coin, mais, depuis, des villageois auraient aperçu, qui errait sur la plage, un homme d'une cinquantaine d'années appelant le nom de ses filles. Il ne répondait jamais lorsqu'on lui parlait.

Nous avons quitté le sentier de la Pointe-de-l'Islet, pour gagner un rocher surplombant le fleuve. L'urne était rectangulaire, d'un bois clair, son couvercle maintenu par les vis que nous avions rapidement remises, sans les serrer. Je les ai retirées. Tout ce que tu avais pu dire ou faire, tout ce que tu avais senti, le timbre de ta voix, les marques sur ta peau, ton odeur, ton enfance avaient été conservés dans cette boîte. Nous l'avons regardée avec hésitation. Dans les films, ils retournent l'urne au-dessus de la mer, et regardent le nuage de cendres se disperser. Mais les films ne disent pas que le vent marin refoule les cendres vers la côte et qu'une nuée de grains de corps mort et brûlé s'engouffrent sous les ourlets des vêtements, brûlent les yeux, se déposent dans les cheveux, comme du sable après une journée sur la plage. Je n'ai pas été mal à l'aise. J'ai trouvé ça beau – et cocasse – de savoir que c'était toi qui te collais par paquets sur mes cils, et je crois bien que j'ai entrouvert discrètement la bouche. (Mais je ne l'ai jamais dit à personne.)

Nous nous sommes assises sur une roche et nous avons parlé de toi. Ce n'était plus pareil, nous ne parlions plus d'un père qui faisait frire les pommes de terre le dimanche, qui buvait plus que de raison, qui aimait trop les animaux et mal sa femme. Nous parlions d'un père qui n'avait plus de voix, plus de maison, plus de corps.

C'est le froid qui a mis fin à cette discussion. Le jour déclinait. Je me suis levée, j'ai regardé le fleuve, et je me suis frotté les yeux pour faire tomber les dernières miettes de toi. J'aime imaginer que nous avons lancé l'urne à l'eau, et que, depuis, elle s'érode doucement au fond du Saint-Laurent. Mais je crois que nous l'avons jetée dans une poubelle sur le chemin du retour. Qu'importe, tu n'y étais plus.

Nous avons refait le chemin en sens inverse, le traversier, le motel, Baie-Saint-Paul, Québec, nous avons quitté le fleuve, repris le cours de nos vies, moi à Montréal, elles à Paris. Je ne pense plus très souvent à tes cendres, sauf quand je m'approche du fleuve l'été et que je creuse le sable des plages pour faire des châteaux; les fragments de coquillages, de pierres et de chair décomposée, brûlée, s'accumulent sous mes ongles. Je nettoie ensuite le petit espace entre l'ongle et la peau à l'aide d'un cure-dents pour sauver les apparences. Ton nom est en train de disparaître. Il nous reste les histoires.

Les gens me demandent pourquoi nous avons versé tes cendres dans le Saint-Laurent. Je pense que nous l'avons fait pour ça, pour avoir une belle histoire à raconter sur toi ; l'histoire de trois sœurs qui partent en voiture avec l'urne de leur père pour disperser ses cendres dans le Saint-Laurent, là où il a toujours rêvé d'aller. C'est une belle histoire, effectivement, et je la leur dois, à Christelle et à Élodie, mes sœurs, tes filles. Je n'ai pas su l'apprécier à l'époque, malade de douleur que j'étais. Mais aujourd'hui, je leur suis infiniment reconnaissante d'avoir transporté cette folie jusqu'à moi, *cette pure folie d'un être contenu dans un petit récipient,* d'avoir insisté, bravé mon apparente indifférence, pour que nous ayons une belle histoire à raconter au lieu de tous ces affreux récits avec lesquels on se débat quand un père meurt mal.

Je répète souvent cette phrase dans ma tête. Papa est mort. J'essaie de me convaincre que la présence du verbe « être » empêche sa totale disparition.

La soif

Dehors, il neige d'une petite neige serrée, et j'ai envie d'ouvrir la bouche, de gober les flocons et de les sentir fondre sur ma langue. Je bois tout le temps, sans jamais être désaltérée ; même la nuit, je me réveille pour boire. Les seuls moments où ma soif est étanchée, c'est quand je bois de l'alcool jusqu'à l'ivresse. Ça m'arrive de moins en moins souvent, car mon foie est fragile.

Je me demande si cette soif est un legs de mon père, si se serait imprimé quelque part dans la séquence de mes gènes un alcoolisme transmis de père en fils avant de tomber sur moi, et dont je ne conserverais que cette soif insatiable, que je trompe en buvant des litres d'eau. Peut-être que mon père n'était pas si triste, qu'il avait juste soif.

/

L'enfant a trois ans, peut-être quatre. Cheveux blonds,
visage carré. Un manteau noir et des jambes nues.
Derrière lui, un jeune homme accroupi l'entoure de
ses bras pour l'aider à tendre un grand arc en position
de tir.

La photo

Mon père, c'est l'enfant. Il a le regard baissé sur les mains de
son frère, qui maintiennent la flèche à la perpendiculaire de
l'arc. Leurs ombres s'étirent dans la cour cimentée, jusqu'au
mur de pierre. S'invitent aussi une moitié d'ombre féminine,
des cheveux courts et frisés, une robe ample, peut-être une
robe de chambre, les bras repliés à la hauteur du ventre : leur
mère. Ces trois ombres copinent ; elles savent qu'elles finiront par partager le même sort.

La photographie de mon père avec son frère est la seule
image que nous avons de lui enfant. Elle est chez ma sœur,
qui la garde sous verre sur une étagère dans sa chambre.
C'est une photo carrée, jaunie, aux bords rognés. Je me suis
souvent arrêtée devant le cadre sans jamais considérer cette
image en particulier : c'est que j'étais happée par les deux
autres photographies qui se trouvent dans le même cadre.
Sur ces dernières, mon père a la vingtaine. J'y reconnais
facilement son air espiègle, sa silhouette svelte, ses mus-
cles nerveux. Mon père se tient parmi ses amis, mais c'est
lui qui attire le regard, comme il attirait l'attention sur lui

de son vivant. Et je peux longuement décortiquer dans ces photos ce qui lui confère cette aura. Au contraire, le petit blond blotti contre son frère ne m'inspire rien, ne fait surgir aucune émotion. Cet enfant-là, qui est mon père, n'évoque rien d'autre que le lointain jauni des vieux albums de famille. Seul le dos de la photo tire les protagonistes de leur anonymat : deux prénoms, dont le temps a escamoté les premières lettres, tracées d'une écriture liée et ronde.

Son nom

Combien de temps avant que son nom disparaisse, qu'on l'enlève des listes officielles et non officielles sur lesquelles s'inscrivent les vivants ? Avant que plus personne ne le porte ? Parfois j'imagine que, la dernière fois que mon père a prononcé son nom, c'était devant l'employée de la mairie qui remplissait le formulaire de sa demande de passeport. «Ça s'écrit comment ? » Il a répondu qu'il ne savait pas écrire, sauf son nom, qu'il a épelé. Il a ajouté : « Il y avait un tréma avant, sur le *a,* mais on l'a retiré. C'était bien assez compliqué comme ça. » « Ça vient d'où ? » « De l'Assistance publique. » La femme n'a pas relevé. « Prénom ? » « Mario. Mario Édouard. » Elle a levé la tête : « Mario, Édouard ? Vraiment ? » Son frère s'appelait Gaëtan. « Mario et Gaëtan, vous vous souvenez de l'émission ? » Elle a fait non de la tête.

Mon père n'a jamais rien écrit : aucune lettre, aucun mot griffonné et laissé sur la table avant de partir au travail. Même sur les cartes postales que mes parents nous envoyaient, la présence de mon père était matérialisée par une petite note : « Papa vous embrasse fort. » C'était la main de ma mère.

C'était elle aussi qui signait nos devoirs, nos bulletins de notes et tous les mots d'école. Si, pour une raison ou une autre, on demandait à mon père de le faire, il répondait qu'il voulait bien signer d'une croix, un X, comme le faisaient les analphabètes autrefois. Il n'était pas analphabète, mais il revendiquait sa connaissance rudimentaire de la langue écrite. Je crois bien qu'il en faisait une question de loyauté : il avait la ferme intention d'appartenir toute sa vie à la classe de ceux dont on ne se rappelle jamais le nom. C'est d'eux qu'il était solidaire. Moi, le X m'évoquait la marque que les pirates dessinent sur leurs cartes à l'emplacement d'un trésor.

Il n'a pas eu le temps d'utiliser son passeport, et la case destinée à sa signature est restée aussi vide que les pages censées recevoir les tampons des pays qu'il aurait visités. Ma mère a repris son nom de jeune fille. Ma petite sœur vient d'adopter le nom de son mari. À mon tour, je fuis ce nom imprononçable que mon père m'a refilé. Je ne le donne pas quand je me présente. Je tends la main, et je dis « Céline ». C'est tout. Mais je sais bien que le jour où plus personne ne prononcera son nom, mon père aura fini de disparaître.

Scène 16

CHRISTELLE, CÉLINE, ÉLODIE

CHRISTELLE — Les derniers mois, je pense qu'il souffrait énormément. Je m'en suis voulu de ne pas m'en être rendu compte. *(Elle fait une pause.)* En même temps, ce n'était pas à moi de voir ça.

CÉLINE — Tu te sens capable de me raconter comment ça s'est passé ?

CHRISTELLE — Oui, aucun souci. Tu veux que je raconte à partir d'où ?

CÉLINE, *posant à Élodie une question qu'elle a ajoutée au texte de la transcription* — Qu'est-ce qui a causé sa mort ?

ÉLODIE — J'ai eu un trou de mémoire quand j'ai lu le texte. Avec le temps, ce n'est pas ce dont je me souviens le plus. Qu'est-ce qui a causé sa mort ? Il me semble que c'est tout le corps qui lâchait. Il n'y avait plus grand-chose à faire.

CÉLINE — Tu crois qu'il savait qu'il allait mourir ?

ÉLODIE — Je crois qu'il s'en doutait fortement.

CÉLINE, *à Christelle* — Tu peux commencer au moment
où tu t'es rendu compte que...

CHRISTELLE — Il était malade depuis janvier. Le médecin
généraliste lui avait dit que c'était un virus. Ça a traîné,
traîné. Je lui ai demandé de retourner consulter, mais... Tu
sais, il n'aime pas ça, les médecins. En avril, d'un seul coup,
je l'ai trouvé hyper maigre, très fatigué. Là, j'ai commencé
à m'inquiéter et j'ai pris les choses en main. On a eu un premier rendez-vous à la clinique vers le mois de mai. J'étais
inquiète. Je pensais qu'ils allaient dire que papa était trop
faible et qu'il fallait l'hospitaliser. Mais ils ont prescrit des
tests médicaux à passer plus tard et l'ont laissé repartir chez
lui. Ça m'a rassurée. Il est retourné à la clinique pour ses
examens. Il devait ressortir le jour même, mais l'anesthésiste a exigé l'hospitalisation. Parce que... parce que voilà,
il trouvait que papa n'était pas en mesure de partir. C'était
le mardi, et il a passé le reste de la semaine à cette clinique.
Je suis allée le voir le vendredi. Dans la salle de bains, il y
avait un tas de vêtements pleins de sang. Il était fatigué, il
avait l'air d'avoir très mal. Je suis allée trouver l'infirmière.
Je voulais savoir ce qu'il se passait. « Est-ce qu'un médecin
est venu le voir ? Qu'est-ce qu'on lui donne comme traitement ? C'est quoi, la suite ? » Et puis je leur ai dit : « Mon
père, il n'est pas du genre à se plaindre, alors allez le voir de

temps en temps pour savoir s'il a besoin de quelque chose. »
C'est la secrétaire qui m'a finalement appris que le médecin
n'était là que le mardi, pour ses consultations. Il n'avait pas
revu papa depuis les examens. Il n'avait même pas appelé
pour prendre de ses nouvelles ou pour prescrire un traitement. Pour lui, papa était rentré à la maison et tout allait
bien. La seule chose que les infirmières lui faisaient, c'était
lui remettre du sang, car il en perdait beaucoup. Quand j'ai
vu que personne ne s'occupait de papa, j'ai un peu craqué.
J'ai dit à la secrétaire qu'il fallait faire quelque chose. Elle a
réussi à joindre l'anesthésiste, qui s'est occupé du transfert :
papa est arrivé à l'hôpital de Poissy dans la soirée.

*Christelle demande à Céline si elle veut du thé. Elle rem-
plit les deux tasses, boit quelques gorgées.*

CHRISTELLE — À Poissy, ils ont opéré papa dans la nuit
parce que... parce que sa tumeur hémorragique... il fallait faire quelque chose. Et ils l'ont mis en soins intensifs
après. Et donc voilà, heureusement que... *(Elle s'arrête.)*
Si je n'avais rien dit, je crois qu'ils l'auraient laissé mourir
comme ça, tranquillement.

CÉLINE — C'est là qu'ils l'ont mis dans le coma ?

CHRISTELLE — C'est là qu'ils l'ont mis dans un coma artificiel, justement pour éviter qu'il souffre. Donc il devait
quand même bien douiller les jours d'avant. *(Silence.)* On
y est allées le dimanche avec Élodie. On ne nous avait pas dit

qu'il était inconscient, on nous avait dit *(mot insaisissable)*.
On est arrivées avec des petits gâteaux, tu sais, comme
quand tu vas voir quelqu'un qui vient de se faire opérer et,
là-bas, ils ont vu les gâteaux, ils ont fait : « Heu, je crois qu'on
ne vous a pas prévenues. » Alors l'interne nous a expliqué
que c'était plutôt grave, que... Qu'ils n'avaient aucune idée
de combien de temps il allait tenir, mais qu'ils n'étaient pas
très optimistes. Du premier rendez-vous avec le spécialiste
jusqu'à son décès, il s'est passé deux semaines. On n'a rien
vu venir. Personne. Moi, la dernière fois que je l'ai vu éveillé,
c'est ce vendredi-là où... *(Elle s'interrompt.)* Le fait d'être
à la clinique, même si ça ne faisait que quelques jours, il ne
le supportait pas du tout. Il se doutait que c'était grave...

*Les larmes avalent le reste de sa phrase. Céline lui tend
un mouchoir et dit quelque chose d'imbécile – « moi aussi,
c'est un passage qui me fait pleurer » –, comme si elle parlait d'une scène d'un film qu'elle a souvent regardé. Christelle sourit, pudiquement, et reprend.*

CHRISTELLE — Il se doutait que c'était grave parce qu'il
m'a dit, comme ça, en passant : « Ouais, je crois que je vais
rester à l'hôpital tout l'été. » Donc il savait qu'il n'allait pas
bien, et je pense qu'il le savait depuis longtemps. C'est juste
qu'il n'avait pas envie de... *(Sa voix baisse.)* Il n'avait pas
envie de le savoir. Voilà. Voilà comment tout s'est déroulé,
très vite.

CÉLINE, *qui lit avec une grimace* — Je n'ai pas compris

pourquoi personne ne m'avait prévenue plus tôt. Pourquoi tu m'avais maintenue dans l'ignorance.

Elle effacerait bien cette phrase de la transcription et, de leurs souvenirs, les traces de cette rancœur qui lui semble maintenant indécente. Christelle lit d'une voix douce alors que, trois ans auparavant, elle avait parlé durement.

CHRISTELLE — Sauf que je ne t'ai pas maintenue dans l'ignorance. On a su qu'il était vraiment malade le dimanche, et c'est le dimanche qu'on t'a prévenue. Maman, on ne l'a pas avertie parce qu'elle était en vacances. Avant le dimanche, je pensais que papa passait juste des examens. C'est ce qu'avait dit le médecin : « On va faire des examens. » T'appelles pas pour ça. C'est comme si je t'avais appelée pour te dire que papa se faisait arracher une dent. Parce que c'était ça. C'était pas plus que ça.

CÉLINE — Tu n'avais pas pensé que ça pouvait être un cancer ?

CHRISTELLE — Je ne sais pas si j'arrivais à... Si, j'y avais pensé, parce que j'avais cherché les symptômes sur internet. Et j'avais demandé l'opinion d'une amie médecin. Elle m'avait rassurée : « C'est pas toujours ça, ne t'inquiète pas. » Il ne mangeait pas beaucoup. Il aurait pu maigrir juste à cause de ça. Et même quand j'ai appris que c'était une cirrhose, je ne pouvais pas imaginer qu'il allait mourir dans la semaine. En réalité, il avait une tumeur hémorragique.

Perdre du sang aggravait sa cirrhose, et la cirrhose empêche la coagulation du sang. Donc l'un aggravait l'autre. Mais on ne savait rien de tout cela. À aucun moment on n'a pensé t'exclure.

CÉLINE — Quand j'ai su qu'il avait des examens médicaux, j'ai passé toute la semaine à me demander si je devais rentrer. Je craignais que ce soit grave ; mais il y avait aussi le risque de rentrer pour rien, de m'acheter un billet d'avion pour rien, alors que je n'avais pas un rond.

CHRISTELLE — C'est sûr. Pour nous aussi, c'était compliqué. Élodie te le confirmera sûrement. On ne lui a pas dit au revoir correctement. J'aurais aimé que mon dernier échange avec papa ne soit pas celui qu'on a eu à l'hôpital. Je ne sais pas quelle connerie j'ai pu lui raconter parce que je le voyais en détresse et que... Dis-toi que les dernières années passées avec lui n'étaient pas faciles. Il me prenait pour sa mère, sa femme. J'étais celle qui faisait le tour des placards quand elle arrivait chez lui pour s'assurer qu'il n'y avait pas de bouteilles qui traînaient.

CÉLINE — Tu étais en colère contre lui ?

CHRISTELLE — Non, j'étais inquiète. J'avais peur. Je pleurais tout le temps. J'avais... *(Elle dit quelque chose d'inaudible.)*

CÉLINE, *à Élodie* — Comment ça s'est passé ensuite ?

ÉLODIE — Christelle est arrivée en taxi à Plaisir. Elle m'a annoncé le décès de papa. Et puis on est parties à l'aéroport pour te retrouver. Après, tu t'en souviens ? On a utilisé l'argent qui restait dans le porte-monnaie de papa pour faire un pique-nique au bord de l'eau.

CÉLINE — C'était une idée de Christelle. Une sorte d'hommage. Il aurait aimé qu'on dépense son argent comme ça, réunies autour d'un fromage et d'un saucisson.

ÉLODIE — J'avais mon rendez-vous annuel à l'hôpital Bichat.

Elle sourit en relisant cette phrase.

CÉLINE — Pourquoi ça te fait sourire ?

ÉLODIE — C'est parce qu'il y a des choses totalement anecdotiques dont j'ai gardé un souvenir très clair. J'ai dit à l'infirmière : « J'ai perdu mon papa, ça ne sert à rien que je reste ici. »

CÉLINE — Je ne sais plus où on t'a attendue pendant ce temps-là.

ÉLODIE — Vous avez fait un aller-retour à l'hôpital de Poissy. Maintenant, chaque fois qu'on passe devant cet hôpital – quand on va chez maman –, ça me fait penser à papa.

CÉLINE — Je crois que je ne suis jamais repassée par là. De toute façon, je ne reconnaîtrais pas l'hôpital. Je ne me souviens pas de tous ces détails. Ce qui arrivait n'avait pas de sens. J'étais sous le choc.

ÉLODIE — On était toutes sous le choc. *(Elle explique ce que Céline ne semble pas entendre.)* Je savais que papa avait parfois des hémorragies. Mais je n'avais pas réalisé la gravité de la situation. Quand on l'a emmené à la clinique pour son examen... *(Elle s'arrête pour rectifier le texte.)* Il était obligé de s'appuyer à mon bras pour marcher. *(Elle ajoute une phrase à la fin.)* Ça m'avait fait vraiment bizarre.

Scène 17

PHILIPPE, CÉLINE, CHRISTELLE
MARC, ÉLODIE

PHILIPPE — J'allais le voir souvent. Tous les deux ou trois jours. J'avais vu qu'il n'allait pas bien.

CÉLINE — Il ne travaillait déjà plus à la ferme, à ce moment-là ?

CHRISTELLE — Il avait retrouvé un petit boulot chez un paysagiste, mais il n'a pas tenu longtemps.

CÉLINE — Tu te rappelles pourquoi il s'était fait virer de la ferme ?

CHRISTELLE — C'est quand Armelle l'a reprise de ses parents. Déjà, ce n'était plus pareil. Papa se plaignait des nouvelles méthodes. Elle avait étudié en agronomie et elle voulait industrialiser l'organisation du travail. Ça bousculait papa.

CÉLINE — Je crois aussi qu'il était piqué dans son orgueil.

Il avait vu grandir Armelle. Qu'elle lui dise quoi faire sans jamais le consulter, ça ne passait pas.

CHRISTELLE — Ils s'engueulaient souvent. Il pouvait être quand même agressif avec elle. Après, je pense qu'elle l'a viré... à cause de l'alcool.

CÉLINE — C'était la raison officielle ?

CHRISTELLE — Officiellement, je pense que c'était un licenciement économique. Mais l'alcool, c'était un problème. Il conduisait des véhicules même s'il n'avait plus de permis. Il manipulait des produits et des outils. C'était dangereux.

CÉLINE — Ça l'a enfoncé, de perdre son boulot ?

CHRISTELLE — Oui, bien sûr. Tous ces trucs-là, il les prenait en pleine face, il n'avait plus la force de se ressaisir.

PHILIPPE — Je lui ai proposé de travailler avec moi et qu'on se prenne moitié-moitié. J'avais besoin de quelqu'un pour m'aider. Il savait tout faire, ton père. Il est venu le premier jour, et puis le lendemain, il ne s'est pas pointé. J'ai sonné chez lui, ça ne répondait pas. Après, je ne l'ai pas vu pendant quelque temps. Quand j'ai fini par le recroiser, il m'a dit qu'il avait été malade.
« Ça va mieux ? »
« Ouais, ouais. »

Je lui ai dit que j'allais lui donner quand même la moitié du fric pour le contrat. Il avait besoin d'argent.

« Laisse tomber. »

Je lui ai proposé plein d'autres contrats, mais il ne venait jamais. Je l'ai engueulé. Il ne faisait plus rien. Il n'allait plus pêcher. Il n'avait même plus de canne à pêche.

CHRISTELLE — Je pense qu'il commençait à être malade.

PHILIPPE — Un jour, il m'a annoncé qu'il avait acheté une canne toute neuve. Il m'a proposé d'aller pêcher avec lui, mais il n'est pas venu. Il a prétexté que c'était à cause de son chien : « T'as une BMW. Mon chien, il va gratter tes sièges et il va foutre le bordel. » C'étaient des conneries. Le chien, il le mettait toujours à ses pieds. *(Il élève le ton.)* Qu'est-ce que je m'en foutais, qu'il gratte, ce chien ! Il m'a fait le même coup une autre fois avec les champignons. Je suis passé le chercher pour aller aux morilles et il n'a pas répondu.

CÉLINE — Il n'était pas là ?

PHILIPPE — Quand je venais le voir, il ne répondait pas toujours. Je savais qu'il était là. Il y avait son scooter dans la cour, mais il ne répondait pas. D'autres fois, il me criait derrière la porte : « Attends cinq minutes. » Je croyais qu'il cachait ses bouteilles. Après, je me suis dit qu'il était malade et qu'il ne voulait pas que je le sache. *(Pause.)* C'était difficile de savoir ce qui était vrai avec lui.

CÉLINE — Pourquoi ? Il mentait ?

PHILIPPE — Tout le temps. Parfois, il prétendait qu'il ne pouvait pas venir avec moi parce qu'il attendait sa fille, mais j'appelais Élodie et elle me disait qu'elle n'avait pas prévu de passer. Il m'avait raconté aussi qu'il était allé chez le dentiste pour se faire arracher ses deux chicots noirs de devant. C'était pas vrai non plus.

CÉLINE, *à Marc* — Tu t'es rendu compte qu'il était malade ?

MARC — Quand je le croisais, je m'en rendais compte. *(Il laisse passer un long silence.)* Mais je ne le voyais plus beaucoup.

CÉLINE — T'étais gêné de le voir ? À cause de la séparation ?

MARC — C'est juste que je n'avais pas le temps. Mais ça a été vite. Son père, il a bu comme quinze toute sa vie, et ça ne lui a rien fait. Ton père...

CÉLINE — Je me suis souvent demandé si le travail à la ferme n'y était pas pour quelque chose. C'est peut-être moins l'alcool que tous les pesticides qu'il a respirés pendant plus de vingt ans.

Christelle écarquille les yeux à la lecture de ce passage, se détourne des feuilles pour regarder Céline.

CHRISTELLE — Je n'avais jamais réfléchi à ça.

CÉLINE — Pourtant, je t'en avais parlé dans la précédente entrevue.

CHRISTELLE — Oui, peut-être. *(Elle réfléchit.)* Mais je ne m'en souviens plus.

Céline se souvient très bien que Christelle avait balayé cette idée avec beaucoup d'assurance la dernière fois : « La cause de son décès, c'est l'alcool. Un cancer, ça n'a jamais une seule cause. Mais pour papa, à quatre-vingts pour cent, c'était l'alcool. »

CÉLINE, *avec fermeté* — On ne parlait pas encore des effets des pesticides sur la santé. On le savait, mais on n'en parlait pas. Quand on habitait à la ferme, les jours d'épandage, maman nous demandait de rester dans la maison, fenêtres fermées. Mais papa ne prenait aucune précaution quand il travaillait : pas de masque, pas de gants, jamais.

CHRISTELLE — Le lendemain de l'épandage, on repartait jouer à cache-cache dans les champs de maïs. *(Elles rient.)* C'est vrai que tous ceux qui travaillaient à la ferme sont morts de cancer. *(Christelle incline la tête d'un côté, puis de l'autre.)* En même temps, Gaëtan n'y travaillait plus depuis longtemps quand son cancer s'est déclaré... Et Hervé était très âgé quand il est mort.

Céline insiste, parce qu'elle voudrait faire oublier l'homme qui boit. C'est une image tellement forte qu'elle efface toutes les autres. Parfois, quand on lui demande de quoi son père est mort, elle répond : un cancer. Juste ça. Le mot cirrhose, *elle sait très bien ce qu'il draine comme imaginaire dans la tête des gens. C'est caricatural ; ça titube, ça chante fort et ça gueule.*

ÉLODIE — Quand on a vidé l'appartement, on a trouvé un sac plein d'alcools forts. *(Pause.)* Il a délibérément précipité les choses.

CÉLINE — Tu veux dire... à l'hôpital ? Qu'il a demandé au médecin de... de précipiter les choses ?

ÉLODIE — Non, non, avant ! Avec l'alcool.

CHRISTELLE — Moi, à la limite, je me dis : vaut mieux qu'il soit mort si vite.

CÉLINE — Pourquoi ?

CHRISTELLE — Il ne supportait pas d'être malade, il ne supportait pas les hôpitaux.

/

Qui est le prochain sur la liste ?

Scène 18

LA MÈRE, CÉLINE, ÉLODIE,
PHILIPPE, CHRISTELLE

LA MÈRE — Ça m'étonne que Marc n'ait parlé que des moments de galère avec Mario : les arrestations, les vols...

L'entrevue de Marc est la seule à s'être déroulée devant témoin. Elle a eu lieu chez la mère, en sa présence.

CÉLINE — Tu t'attendais à ce qu'il parle de quoi ?

LA MÈRE — De sa relation avec lui. Du moment où ça n'allait plus entre nous. De la fin. *(Elle soupire.)* Je n'aurais peut-être pas dû être là.

CÉLINE, *doucement* — Peut-être. Mais ça a aussi pu lui faire du bien d'en parler devant toi. Vous ne devez pas discuter de papa souvent ?

LA MÈRE — Jamais.

CÉLINE — C'est étrange que je n'aie jamais retrouvé vos photos de mariage.

LA MÈRE — Toutes les photos de lui sont ici. Sinon, c'est Christelle qui a les autres.

CÉLINE — Non, je lui ai demandé, et elle me dit que c'est toi qui les as.

LA MÈRE — Peut-être qu'elles sont à la poubelle. Je sais qu'il avait accroché des photos de vous sur la porte de sa chambre. Elles sentaient peut-être trop la clope et tes sœurs les auraient jetées ?

ÉLODIE — C'est la voisine qui a lavé l'appartement après sa mort. Elle a passé la serpillière pendant des heures...

CÉLINE — Ça a été dur pour moi, le nettoyage de son appartement. Tout a été réglé si vite. J'ai eu le sentiment qu'on se dépêchait de se débarrasser de ses affaires pour l'oublier le plus rapidement possible.

ÉLODIE — C'est comme ça que tu l'as pris ?

CÉLINE — Oui. Il ne voulait jamais rien jeter. Alors j'ai eu l'impression qu'on le trahissait en vidant si vite son appartement.

ÉLODIE, *qui saute la première phrase* — On n'avait pas la

place. C'est dommage, mais ce sont les circonstances qui ont fait que... voilà. *(Elle ajoute une phrase à ce qui est écrit.)* Aussi, chaque objet est une trace, et donc un souvenir qui peut être douloureux.

CÉLINE — Oui, je crois que c'est justement ce qui me manque dans tous ces objets qu'on a jetés : les souvenirs qui viennent avec. Je ne sais même pas, en fait, si on les a jetés ou donnés.

ÉLODIE, *reprenant le texte où elle s'était interrompue* — La collection de verres à bière de papa, on l'a donnée à Philippe. C'était son ami d'enfance, on s'est dit que ça lui ferait plaisir. Mais Philippe a dû la revendre pour se faire de l'argent.

PHILIPPE — Les verres à bière, je les ai pris parce que tes sœurs m'ont dit que c'était important pour ton père. Mais moi, les objets, j'évite. Ça me rappelle trop les gens. J'essaie de ne pas remuer tout ça. Et le chien, qu'est-ce qu'il est devenu ?

CÉLINE — Je croyais que c'était toi qui...

PHILIPPE — Je voulais l'adopter. Mais mon chien était jaloux. Ça ne marchait pas.

Un peu plus tôt, il avait dit qu'il aurait aimé le garder, mais que les voisins l'avaient réclamé. Il avait même raconté qu'il était passé pour leur demander des nouvelles, mais que les voisins étaient absents. Il avait questionné « les gitans d'en face », qui n'étaient au courant de rien.

ÉLODIE — Les pièces en argent, elles avaient aussi appartenu à Patrice ; c'est moi qui les ai eues. Et puis j'ai pris la petite pipe que tu lui avais offerte, et sa carte d'identité. Toi, tu as eu son laguiole, il me semble, une pipe, et son passeport. Christelle a pris un autre couteau. Je ne crois pas qu'on ait gardé beaucoup d'autres choses. *(Elle commente la transcription.)* Quelque part, je suis heureuse d'avoir la chevalière. Le seul bijou de papa qu'il nous reste.

Céline avait complètement oublié les bagues.

CÉLINE — Tu as aussi son alliance ?

ÉLODIE — L'alliance de grand-papa et celle de papa, elles ont disparu à l'hôpital. Avec Christelle, on a demandé au personnel où elles étaient passées. Ils ont dit que papa ne les avait pas en entrant à l'hôpital. Il aurait voulu qu'elles reviennent à Jeanne.

CHRISTELLE — Ce qui est drôle, c'est que papa ne se préoccupait pas de la valeur des objets. Son lien était affectif. Tout ce qu'il gardait, c'est parce que ça venait de quelqu'un. Les verres et les pièces en argent, il en avait hérité à la mort de Patrice. Les timbres aussi, je crois.

CÉLINE — Et les couteaux ?

CHRISTELLE — C'est Marc qui lui a offert le premier. Il ne pouvait pas accepter un couteau en cadeau sans donner un franc en échange. Il y a une croyance qui veut que, si un couteau est offert sans contrepartie, il peut trancher les liens d'amitié.

CÉLINE, *relevant la tête* — Je ne me rappelais pas ce truc.

CHRISTELLE — C'est vrai ? Et s'il en perdait un, c'était la catastrophe. Il le cherchait dans la maison, il refaisait en sens inverse le chemin qu'il avait pris pour rentrer du travail. Le soir, on ne pouvait pas manger tant que ses trois couteaux n'étaient pas sur la table. Il était superstitieux. Le pain devait être à l'endroit...

CÉLINE, *imitant la voix de son père* — « On ne gagne pas son pain sur le dos. »

CHRISTELLE — Et les samedis 14, il ne sortait pas de la maison. Il avait eu un accident un samedi 14. Il n'avait pas peur des vendredis 13, mais pensait que le monde allait s'écrouler le lendemain.

CÉLINE, *qui montre une photo à Élodie* — J'ai scanné les albums d'Annette. Il y avait une photo de leur mariage. C'est écrit « 11 octobre 1975 » en légende. Ça veut dire que maman était enceinte de Christelle de quelques semaines. Elle ne le savait peut-être même pas encore. *(Sa voix se raffermit.)* J'ai cherché l'album du mariage ; je ne le trouve pas. Maman croyait que c'est Christelle qui l'avait, mais non.

ÉLODIE, *dérogeant au texte* — Je pense que papa les avait gardés au moment du divorce, alors ils doivent être dans le carton.

CÉLINE — Le carton ?

ÉLODIE — Quand on a vidé l'appartement, j'ai mis quelques affaires dans un carton. Il est dans le garage de maman. Je ne me souviens plus de ce qu'il y a dedans. Des vinyles, probablement. Et les albums photo. Dans quel état ils sont, je ne sais pas. Chaque fois, je me dis que je vais trouver un moment pour ressortir tout ça, mais...

Parfois, la colère de Céline monte quand elle songe au peu que son père leur a laissé. Puis elle pense au poids des choses qu'il a emportées : ce qu'il n'a pas réussi à dire, ce qu'il a mal compris ou aurait eu besoin d'entendre. Comment s'en occuper à présent ?

Scène 19

PHILIPPE, ÉLODIE, CHRISTELLE,
CÉLINE, LA MÈRE

PHILIPPE — Plus personne ne venait le voir à la fin, ton père. À part tes sœurs. Une fois, des voisins m'ont prévenu qu'il continuait à boire. Ils l'avaient vu tituber dans le village. Je l'ai répété à ton père. Il m'a dit que c'étaient des conneries. «Demande à ma fille, elle était avec moi.» J'ai demandé à Élodie. C'était vrai. Elle était avec lui et il n'avait pas bu.

Céline n'appelait pas fréquemment et raccrochait vite, prétextant du travail, un rendez-vous.

ÉLODIE — J'avais souvent du mal à trouver la motivation pour aller le voir. Je ne savais jamais comment ça allait se passer. Une fois, il allait bien, une fois... C'était un peu plus compliqué. Après, j'y allais avec Christelle. C'était plus facile à deux. Christelle s'occupait de tous ses papiers, de ses lettres ; ça faisait un sujet de conversation. *(Elle baisse la voix, prend le ton de la confidence.)* Moi aussi, je trouvais ça difficile de discuter avec lui.

CHRISTELLE — Philippe était là, lui... Il allait voir papa. Ils avaient repris contact et ils se voyaient de temps en temps. Je pense qu'ils sont aussi allés à la pêche plusieurs fois ensemble. Je crois que Philippe n'a pas pu venir aux obsèques parce qu'il avait autre chose... Je ne sais pas quoi. Mais il était triste. Il était là jusqu'à la fin.

PHILIPPE — Quand on se promenait, il n'arrivait pas à monter les marches de la mairie. Il ne tenait plus sur ses jambes. C'est pas qu'il avait bu, c'est qu'il n'arrivait plus à marcher.

Il dit qu'il va travailler encore quelques années avec son camion dans les fêtes foraines. Il vend des crêpes, des tartiflettes, des churros, des sandwichs, des saucisses et des tartines. Il s'adapte. Il vit dans le Sud, six mois par an. Il dit que sa copine veut le quitter. Céline ne sait pas quoi lui répondre.

CÉLINE — Tu trouves ça difficile, de parler de papa ?

PHILIPPE — Quand mon frère m'a dit que la fille de Mario voulait me parler, il m'a dit « accroche-toi ». J'en parle pas, de ton père. J'en parle jamais. C'est trop dur. T'as remué plein de trucs, là, c'est dur.

CÉLINE — Je sais. Je suis contente que tu aies accepté mon invitation. Sa sœur n'a pas voulu. Elle ne veut plus parler de lui. Elle a trop souffert. Elle m'a dit : « Tout ça, c'est derrière, c'est oublié. »

Plus tard, longtemps après cette discussion, Céline a rencontré une thérapeute spécialisée dans les traumas qui lui a expliqué : « Pour certaines personnes, c'est trop. » Puis elle lui a raconté l'histoire d'un patient qui s'était suicidé après avoir parlé d'un événement traumatique qu'il avait refoulé pendant plusieurs décennies. « Ce trop, certains peuvent vivre une vie entière avec, parce qu'ils ont appris à cohabiter avec une présence fantomatique, et avec les symptômes de leur corps qui somatise les souvenirs refoulés. Mais vivre avec les souvenirs conscients de l'événement, ça non, ils ne peuvent pas. »

PHILIPPE — Ce n'est pas vrai, qu'on peut tout enterrer, qu'on peut oublier.

CÉLINE — On peut s'en convaincre. Ou faire semblant.

PHILIPPE — Non, on ne peut pas faire semblant. *(Il jette sa cigarette.)* L'autre fois, j'ai croisé Jeannot. C'était un mec de notre groupe quand on était jeunes. Je lui ai annoncé que ton père était mort. J'ai vu, putain, ça lui a fait quelque chose. Je ne comprends pas. On n'a pas prévenu les amis de ton père.

Céline avait tenté d'annuler le week-end en Normandie que Christelle avait organisé avec leur père quelques semaines avant son grand départ pour le Québec. Elle avait appelé sa sœur pour lui dire qu'elle ne pourrait pas. Elle ne pourrait pas passer le week-end avec son père, prendre son petit déjeuner avec son père, dormir dans la même chambre que lui. Ce n'est pas qu'elle ne l'aimait pas. C'était le silence. Ça la brûlait tellement, le silence de son père, qu'au bout de quelques heures avec lui, elle devait partir, pour refroidir. Christelle avait tenu bon.

CHRISTELLE — Dans les mois qui ont suivi sa mort, je rêvais qu'il ressuscitait. C'était horrible parce que j'étais dans l'ambivalence, entre la joie de le retrouver et l'angoisse de devoir m'occuper de lui : j'allais à nouveau m'oublier et vivre pour lui. *(Elle marque une pause.)* Les derniers mois, j'étais tellement fatiguée, tellement à bout, que je pensais parfois que ça aurait été plus simple qu'il meure.

CÉLINE — Moi, je repensais sans arrêt à la carte que je lui avais envoyée. Quand il l'avait reçue, il m'avait appelée et m'avait dit qu'il n'avait pas réussi à la lire en une fois. Sur le coup, je l'avais pris comme une bonne chose : je crevais de vieux abcès. Mais je m'en suis voulu après sa mort. Je me suis demandé si ça l'avait...

CHRISTELLE — Ça l'avait ébranlé.

CÉLINE — Il t'en avait parlé ?

CHRISTELLE, *avec hésitation* — Est-ce qu'il m'en avait

299

parlé ? Je n'ai pas réellement de souvenir. Mais je sais que, oui, ça l'avait ébranlé. Il s'était senti...

CÉLINE — ... Accusé ?

CHRISTELLE — Accusé, je ne suis pas sûre parce que... C'était plus... *(Elle hésite et tranche.)* Peut-être accusé. Oui.

À ce moment-là, Céline pense pour la première fois à l'impact que ces entrevues auront sur elle, sur sa propre mémoire.

CHRISTELLE — Moi, ce dont je me souviens, c'est qu'il a eu du mal à la lire, et que ça le blessait beaucoup. *(Elle pose une main sur son cœur.)* Il n'a peut-être pas compris réellement ce que tu voulais dire, il l'a peut-être pris mal parce qu'il se sentait coupable de certaines choses. Je sais que ça l'avait rendu... triste. Mais je ne sais pas pourquoi il était triste. Je ne sais pas ce qui l'a blessé dans cette lettre. Est-ce le fait de ne pas pouvoir te répondre en personne ? Est-ce le fait de ne pas avoir les mots pour répondre ? Je ne sais pas du tout.

CÉLINE — J'avais besoin de mettre des mots sur cette rupture entre nous, pour essayer de la réparer.

CHRISTELLE — Pour lui, il n'y avait rien à réparer. La cassure, c'était la distance géographique qui la provoquait. Pas autre chose. Il avait hâte que tu rentres de Montréal ; il avait hâte de te voir et de te parler. C'est ça qui a été violent. De se rendre compte qu'il y avait eu une rupture.

CÉLINE — Pourtant, elle a eu lieu dès l'adolescence.

CHRISTELLE — Honnêtement, je pense que la rupture venait autant de toi que de lui. Pendant ton adolescence, tu as été super dure avec les parents. Souviens-toi : tu rejetais tout ce qu'ils étaient, et tu leur disais.

CÉLINE, *dans un murmure* — Mais lui aussi était dur avec moi.

CHRISTELLE — Je ne sais pas. Je ne me souviens pas, en fait, de votre relation. Mais je sais que papa a toujours été fier de toi. Il parlait de toi tout le temps quand tu étais à Montréal.

LA MÈRE — Il trouvait que tu lui ressemblais trop et il avait peur que tu tournes mal.

CÉLINE — C'est pour ça qu'il était dur avec moi ?

LA MÈRE — Parce que tu avais du caractère. Il m'a dit : « Il faut la calmer. » Je lui ai répondu : « Attends, il ne faut pas lui mettre une étiquette tout de suite. » Oui, c'est de ça qu'il avait peur, que tu fasses les mêmes conneries que lui.

Céline repense à la carte. À la peur irrationnelle qu'elle a ressentie après la mort de son père. Encore maintenant, elle ne s'autorise à envoyer à ses proches que des politesses et des phrases douces.

CÉLINE — Je me disais que mes confidences l'avaient tué. Ou du moins qu'elles avaient précipité sa mort, que papa avait fait exprès de mourir avant que j'arrive, parce qu'il ne voulait pas me voir.

CHRISTELLE, *catégorique* — C'est n'importe quoi. Ça ne s'est pas passé comme ça. Je sais que ta carte l'avait ébranlé. Mais ce n'est pas ça qui a entraîné la fin, parce que la fin, c'était la maladie, et que papa avait déjà arrêté de se battre avant ta carte.

Du week-end en Normandie, Céline n'a que très peu de souvenirs : celui, vague, d'une fête de village en bord de mer, et un autre, d'un moment de complicité inattendu dans la chambre le matin. Elle possède aussi une photographie. Une seule. Son père porte une chemise d'été blanche et légère, repliée aux coudes. Un jean et des tennis de marche. Il est de profil, une jambe fléchie avancée, le pied posé sur un rocher dans une position d'explorateur. Il regarde au loin, une main en visière pour se protéger du soleil. Ses cheveux sont courts. Sa barbe grisonne à son menton. À l'arrière-plan, d'autres touristes regardent probablement la mer ou les falaises, mais la photo est cadrée sur le père, pas sur la vue.

/

J'aime l'idée que nous aurions pu être, chacune,
sa préférée.

Scène 20

ÉLODIE, CÉLINE, PHILIPPE

ÉLODIE — Quand j'ai lu mon entrevue, ça a fait revenir plein de souvenirs. Par exemple, j'avais totalement oublié nos glissades à la ferme. J'ai eu un flash. Je pouvais même encore sentir nos fesses qui piquaient après, tu te rappelles ? *(Elles rient.)* C'est vrai qu'au début, j'avais peur de ton travail, j'avais peur que ça fasse remonter les choses négatives. Mais, finalement, même s'il y a des souvenirs qui ont tendance à m'agacer, je trouve que l'ensemble est bien. Je me rends compte qu'avec le temps, tout se cicatrise. Il reste une trace, on ne peut pas l'effacer complètement. Ça fait mal, mais en y repensant, on l'accepte. C'est comme ça qu'on a grandi, c'est comme ça qu'on est devenues ce qu'on est.

CÉLINE — Les conversations qu'on a eues n'ont pas vraiment permis de reconstituer la vie de papa, parce que chacun a ses souvenirs et qu'ils divergent tous. Mais elles ont permis de faire exister différentes versions de l'histoire.

PHILIPPE, *après une hésitation* — Il y a une personne de

qui il a changé la vie. C'est Annick Tanne. Ils ont été ensemble longtemps. De quatorze à dix-sept ans. Il l'a quittée. Il n'a rien expliqué. Même pas à moi. Quand je lui demandais pourquoi il l'avait quittée, il disait : « C'est la vie. » Elle était folle amoureuse de lui. Elle ne s'en est jamais remise.

Céline ne l'a pas retrouvée, cette Annick Tanne, malgré des annonces passées dans les journaux locaux et sur internet. À la mairie du village où Philippe lui avait dit qu'elle habitait, son nom n'était pas enregistré. Plus tard, ce nom lui a semblé peut-être un brin trop asiatique pour accompagner un tel prénom. Céline s'est mise à imaginer tous les homophones possibles. Annie Quetanne, Annie Khtan, Anne Hiketan... Mais elle n'a pas pu demander de précisions à Philippe.

PHILIPPE — Attends. Il y en avait une autre... Mais elle a changé de nom maintenant. Elle s'est mariée. Elle l'aimait beaucoup, elle aussi.

Ils ont enfilé leurs manteaux, leurs chaussures. Ils s'apprêtent à quitter l'appartement de la mère, où l'entrevue a eu lieu en son absence. Avant de sortir, Céline prend un rouleau de papier d'aluminium dans le placard de la cuisine, découpe une feuille, moule un petit récipient dans le creux de sa main, et y vide les mégots qui se sont accumulés dans le cendrier pendant leur discussion. C'est comme ça qu'elle faisait, adolescente, pour ne pas laisser de traces du passage de ses amis.

PHILIPPE — Comment elle va, ta mère ?

CÉLINE — Elle va bien. Elle a rencontré quelqu'un.

PHILIPPE — Ah.

Il reste quelques secondes sans rien dire, debout devant Céline.

PHILIPPE — Qu'est-ce que tu veux faire avec tout ça, alors ? Avec tout ce que je t'ai raconté ?

CÉLINE — Je ne sais pas exactement. Je n'étais pas là. Je voudrais comprendre. Comprendre quel homme il était.

PHILIPPE — C'était un mec bien, ton père. Il est toujours venu, chaque fois que j'ai eu besoin de lui. Mais il a souffert à la fin. Perdre son boulot, ça l'a bousillé. Mais avant déjà, il n'avait plus l'envie de... Il n'avait plus goût à rien.

CÉLINE — Il avait évoqué le désir de partir dans le centre de la France et d'acheter un camping.

PHILIPPE — Moi aussi, c'est ce que je voudrais. Mais c'est impossible. J'ai fait trois mois de prison pour fraude, et maintenant je suis contrôlé. Je ne peux plus rien faire. J'ai même pas le droit de sortir du pays. De toute façon, avec ma jambe, je ne pourrais pas. Et toi, ça va au Canada ?

CÉLINE — Oui, tout va bien. Ça a été dur quand je suis arrivée. J'ai galéré. Mais maintenant, ça va.

PHILIPPE — Il parlait souvent de toi. Il n'aimait pas ton pays. Ça le faisait chier que tu sois partie là-bas. Mais, des fois, il disait : « Elle fait sa vie. »

Elle aimerait savoir ce qu'il disait d'autre, son père, sur elle et sur son nouveau pays, mais elle n'ose pas le demander. La prochaine fois. La prochaine fois, elle le fera.

PHILIPPE — Tes sœurs aussi, il parlait souvent d'elles. Il les aimait, tes sœurs ! Ah ça, oui, il vous aimait ! Christelle, je la croisais parfois à Paris.

Ils arrivent devant sa camionnette. Philippe montre le supermarché.

PHILIPPE — Comment ça s'appelait, ce magasin-là, avant ?

CÉLINE — Je ne sais pas.

PHILIPPE — Tu pouvais commander n'importe quel disque à ton père. Il venait le voler dans ce magasin.

CÉLINE — Il ne se faisait jamais prendre ?

PHILIPPE — Jamais.

Céline balaie les cailloux du pied en regardant par terre.

CÉLINE — Papa voulait aller au Canada. Il voulait venir me rendre visite.

Elle a lâché cette phrase, elle ne sait pas pourquoi. Il ne répond pas.

PHILIPPE — Tu sais, je passais souvent le voir parce que j'avais peur qu'il fasse une connerie. Il m'a demandé plusieurs fois des trucs.

CÉLINE — Des trucs ?

PHILIPPE — Il savait que je pouvais avoir des pétards. Il m'a demandé de lui en ramener un. «Tu vas faire quoi, avec ça ?» Il n'a pas voulu me répondre. Je lui ai dit que j'allais me renseigner, mais je ne lui ai jamais apporté son flingue.

Pause.

PHILIPPE — Il n'avait plus goût à rien. Il ne voulait même plus aller à la pêche ni aux champignons.

Pause.

PHILIPPE, *très lentement* — Il n'a rien dit. À la fin. Il ne m'a pas dit qu'il était malade, le con. Il disait : «Ça va aller.» Quand je lui proposais de bouger, il me répondait qu'il était bien là, tout seul. Il avait sa télé, ses animaux. Il disait qu'il ne pouvait pas bouger avec ses chats. Ses chats et son chien. Il a fait comme Gaëtan. Il a rien dit. Il souffrait, mais il a attendu la fin pour le dire.

Philippe demande à Céline de lui donner des nouvelles la prochaine fois qu'elle passe dans le coin, répète qu'elle est un peu comme sa fille. Ils se disent au revoir sur cette phrase. Et Céline a tout de suite envie d'appeler ses cousins pour leur demander de donner une autre chance à leur père. Mais elle pense aussi au mal qu'elle a déjà fait en essayant de dire sa vérité. En fait, cette vérité, plus Céline avance, et plus elle lui échappe.

Trois ans plus tard, elle demandera les coordonnées de Philippe à sa mère pour organiser la nouvelle entrevue. Sa mère sera surprise : « Tu ne sais pas ? Il est décédé. Le cancer. J'ai dû oublier de t'en parler. »

INVENTAIRE DE CE QUI N'A PAS LAISSÉ DE TRACES

Liste des livres que je comptais lire au chevet de mon père.
Liste des rêves sur mon père que je n'ai pas notés.
Liste des choses que mon père a perdues.
Liste des choses qu'il aurait voulu changer.
Liste des choses qu'il ne pensait pas nécessaire de dire.
Liste des plats qu'il aimait manger.
Liste des prénoms qu'il avait choisis pour un garçon.

/

Motel Jasper, route 185.

/

À parler franchement, ils n'ont pas dit un seul mot de vrai. — Platon, *Apologie de Socrate*

DIS MON NOM

Le *haha*, en français, est un archaïsme qui identifie une voie sans issue, un cul-de-sac, une impasse, un obstacle inattendu.

— Commission de toponymie du Québec,
« Saint-Louis-du-Ha! Ha! »

Tu sais, j'étais un joyeux luron à l'époque, le genre de type qu'on invitait pour mettre l'ambiance. C'est ce que je raconte à ma fille, qui grimpe la 185 à mes côtés, et elle me dit : « Je sais, je sais, papa, tu me l'as déjà raconté cent f... » Et un énorme poids lourd avale la fin de sa phrase.

J'habite sur la route 185, dans la chambre 7 du motel Jasper entre Saint-Honoré-de-Témiscouata et Saint-Louis-du-Ha! Ha!, à moins d'une heure de Rivière-du-Loup, et à une bonne trentaine de minutes de marche de l'épicerie Marta. José, le mari de Marta, c'est un bon gars. Quand je suis à sec, je paye mes bières avec le bois de chauffage que je coupe sur le terrain du motel en échange d'une réduction du prix de ma chambre ; et ses hivers s'arrangent avec les miens pour qu'on tienne le coup sans trop morfler, lui et moi. Marta ajoute souvent une boîte d'œufs frais dans mon panier en me demandant des nouvelles de mes filles. Elle dit qu'elle aimerait vendre le magasin pour aller vivre à Montréal avec son fils, qui ne vient plus la voir depuis qu'il a eu son bébé, mais José ne veut pas quitter le coin. Et elle lance deux petits coups de menton vers José, qui marmonne et s'éloigne. Alors elle revient à moi, soupire. Elle dit : « Tiens, prends les œufs, c'est un cadeau pour ta fille, tu la salueras de ma part. »

Céline vient d'arriver, justement. Elle a débarqué au cœur de la nuit, babillarde et tendue par la peur de frapper un chevreuil, qui l'a gardée en alerte pendant le voyage. Elle s'est assoupie peu avant que les néons rouges du motel s'éteignent et que les bruits attaquent l'aube dans les chambres mitoyennes. Je lui ai proposé de rester au lit pendant que j'irais chercher le pain et les œufs chez José, mais elle a répondu que c'était cool, la marche lui dégourdirait les jambes. J'ai souri. Pour aller chez José, c'est une belle montée sans ombre sur les graviers qui longent la route. Certains matins de juillet, l'air est si collant que je m'arrête à mi-chemin et m'assieds sur la terre brûlante pour fumer une clope en regardant l'humidité tordre le paysage.

Un camion passe. Le souffle nous fait bondir sur le côté, et Céline me demande pourquoi je vis à huit kilomètres du premier village, sans voiture, faut être un peu épais, non ? Je lui raconterais bien les raisons qui m'ont poussé là, mais avec toutes ces bagnoles qui passent, c'est difficile.

Le soir où je suis arrivé au motel, il ne restait plus que la chambre 7. C'est une grande chambre avec deux lits doubles et un fauteuil aux fleurs délavées tourné vers la télé. Dès

que j'ai payé, le type est parti ajouter un « NON » devant le
« VACANT » de l'enseigne qui borde la route. La nuit était
chaude. Il n'y avait pas de clim ; j'ai jeté le couvre-lit à terre
et j'ai fait tourner le ventilateur. Au matin, quand je me suis
réveillé, toutes les voitures avaient quitté le parking.

Je me tourne vers Céline, arrêtée quelques mètres plus
bas. Les mains sur les hanches, elle me demande, essoufflée,
si j'ai apporté de l'eau. Elle n'avait pas plus de trois ans, et
sa sœur cinq le jour où nous avons marché de la maison à
l'hôpital pour rejoindre leur mère en train d'accoucher de
la troisième. C'était la fin du mois de juillet. La chaleur était
si dense qu'elle écrasait les maisons sur l'horizon. J'avais
souvent fait le chemin seul, à travers champs ; ça prenait
une heure, une heure trente si on traînait. Mais avec deux
enfants, on avait mis l'après-midi. Céline hurlait parce que
ses chaussures, trop petites, l'empêchaient de marcher, et
Christelle me fusillait du regard pendant que je tirais sur
leurs bras pour les faire avancer. Quand nous étions arrivés
à l'hôpital, ma femme avait déjà accouché et donné un nom
au bébé. Les infirmières avaient plongé Christelle et Céline
dans une bassine d'eau froide en me traitant d'inconscient,
avant de les piquer pour leur installer une poche de soluté
de réhydratation. Ma femme pleurait, Élodie endormie sur
sa poitrine.

Je lui dis non, à Céline. J'ai pas pris d'eau. Ça va aller, on
est presque arrivés. On achètera une bouteille chez José. Elle
hausse les épaules, un camion nous dépasse en trombe, on se
cogne l'un contre l'autre. Elle sourit. Parfois, je me demande
pourquoi elle vient encore me voir. Je lui dis : « Pourquoi

tu viens encore me voir ? » Elle lève les bras dans un geste théâtral, crie quelque chose qu'un second poids lourd avale. Elle dit : « Laisse tomber. Ça sert à rien d'essayer de parler. »

On aperçoit l'enseigne du dépanneur à présent. Je m'arrête une seconde et je sors de ma poche mon mouchoir en tissu pour m'essuyer le front. Elle me regarde le déplier, le passer sur mon visage, le rouler en boule et le remettre dans ma poche.

— On aurait dû prendre ma voiture.

— T'inquiète, le retour, c'est rien que de la descente.

Elle continue à râler.

— Je ne suis pas inquiète pour moi, p'pa.

— Qu'est-ce que tu veux qu'il m'arrive ?

Elle est un peu décontenancée.

— J'ai plus le droit de me faire du souci pour toi ?

On franchit la porte de chez José, qui lève la tête du comptoir, dit : « Salut, l'ami. » Je lui demande quoi de neuf. Céline sourit timidement en guise de bonjour et se dirige vers les gros frigos du fond. Ça ne va pas fort. Marta et lui se sont engueulés hier, il a dû l'amener au terminus de Rivière-du-Loup. Avant de monter dans l'autocar pour Montréal, elle lui a dit qu'elle ne rigolait pas, cette fois, c'était terminé. J'essaie de le rassurer. Elle lui a déjà fait le coup. Mais cette fois, il sent que c'est différent. Il dit toujours ça. Leur fils l'a appelé tout à l'heure. Ça ne le dérange pas qu'elle reste chez eux. Elle va les aider avec le petit, le ménage, et tout.

— Tu vas voir, elle va revenir.

— On verra bien.

Je sais pas quoi ajouter d'autre, alors je lui dis qu'au

moins, sa bonne femme, elle le fait pas chier, comme ça. Il dit que c'est la mort ici, tout seul. Puis :

— Et toi, ça va ?

— Comme d'hab. Ça va.

En fait, moi, je suis déjà mort.

J'ai eu une vie, une femme, trois filles, puis j'ai bu, j'ai bu, j'ai bu. J'ai cru que je pouvais m'oublier. Mais je suis mort avant d'y arriver. J'étais déjà mort quand ma femme m'a quitté.

José jette un coup d'œil à ma fille et me demande ce qu'on veut. « Mets-nous du bacon, des œufs. Un sac de patates. Six bières sans alcool. » Il va préparer la commande dans les frigos à l'arrière, et je lui gueule : « Ajoute un cidre ! » Céline me regarde. Elle porte deux bouteilles d'eau, une barquette de fraises par-dessus, un paquet de chips en haut de la tour.

— On aurait dû prendre ma voiture.

— Arrête de me faire chier et donne-moi tes courses.

— T'as pas d'argent, papa. Laisse-moi payer.

José revient avec deux sacs pleins, les pose sur le comptoir.

— Tu nous donnes un Lotto 6/49 ? Céline va choisir les numéros.

Au lieu de me dire merci, Céline se lamente : « Tu changes pas », et elle prend José à partie. « Vous ne devriez pas le laisser acheter ces merdes-là. » José ne répond pas. Je lui dis de mettre ça sur ma note, puis j'empoigne les sacs, un de chaque côté, et sors me griller une cigarette en attendant Céline.

Dans la vitrine du dépanneur, le mec qui me fait face a

bien changé, contrairement à ce que pense Céline. Le front dégarni jusqu'au milieu du crâne, les cheveux clairsemés, grisonnants, la mémoire amputée d'une bonne partie de sa vie. La main qui tient la cigarette est ridée, striée de veines bleuâtres, le bout des doigts jauni par la cigarette. Ce que j'ai fait dans le passé, toutes les maudites affaires que j'ai vécues ces quarante dernières années se sont brouillées, confondues, comme au sortir d'une anesthésie. Il m'en reste des traces, les paupières lourdes et gonflées, les mains qui tremblent le matin, et l'impression douloureuse que la vie passe trop vite. J'aimerais mettre fin à ce qui m'enchaîne ici, à cette couverture et à ces rideaux bruns que je tire chaque soir pour cacher le tronçon de la 185, que les voitures empruntent, jour et nuit, comme s'il n'y avait plus nulle part où rester. Mais la seule fois où Céline a essayé de m'en parler, je lui ai répondu que ça ne servait à rien. Je sais pas. Je crois que j'ai seulement eu peur de ce qu'il y avait sur son ardoise.

Céline pousse la porte de l'épicerie en secouant le billet de loterie dans ma direction : « Tiens, le voilà, ton billet gagnant. » Je ne lui dis pas qu'avec la chance que j'ai, tu vas voir, c'est mes numéros qui vont sortir, juste la semaine où je les joue pas, alors que j'ai jamais raté un tirage. La porte se referme. Céline ramasse un sac et entame la descente. Après quelques minutes et huit voitures, elle me dit :

— Il est drôle, José. Il m'a demandé c'était quoi, ton nom. Il avait l'air gêné.

— Tu lui as dit quoi ?

— Ben, la vérité. Qu'on s'en souvient plus.

Je m'arrête et je la regarde :

— Même toi, t'as oublié ?

Elle baisse la tête. Semble chercher loin dans sa mémoire.

— Oui, même moi.

Et elle repart en regardant droit devant elle.

On continue en file indienne, ma fille devant, avec son sac trop lourd qu'elle passe d'un bras à l'autre. Je ne lui propose pas de l'aider. Elle voudrait pas. Je lui demande si ça lui tente qu'on aille se baigner dans le lac cet après-midi. Elle n'a pas son maillot de bain. Je lui dis de se baigner en slip, qu'est-ce qu'on s'en fout. Je l'entends presque grimacer. Elle dit qu'elle verra. Quelques voitures passent. «Les David pourraient venir avec nous. Avec leurs enfants.» Elle me demande si les David, c'est la famille qui vit dans le chalet blanc qui longe la 232 en sortant de Saint-Louis. Je lui dis que oui, le chalet blanc, c'est ça.

Les filles n'ont pas hérité de la maison dont leur mère et moi avions payé chaque mensualité pendant plus de vingt ans. Nous avons à peine pu finir de rembourser l'hypothèque avec l'argent de la vente, puis, quand je suis mort, les impôts ont pris la moitié de ce qui restait. Le jour de la crémation, elles ont décoré l'église de fleurs de tournesol, les mêmes que celles qu'on ramenait de nos balades quand elles étaient petites. On coupait les têtes qu'on laissait sécher au soleil pour les égrener. Je crois que mes filles ont mis des tournesols dans l'église pour que je ne disparaisse pas trop vite, mais mon corps a disparu quand même. Et la mort a emporté bien plus que mon corps. Elle s'est servie largement dans les années vécues, jusqu'à ce qu'il ne reste plus que l'histoire vague d'un homme qui buvait trop, et dont on ne se rappelle plus le nom. Pourtant, il suffirait qu'on me le demande. Je leur dirais, comment je m'appelle, et je leur raconterais ma vie dans le désordre des souvenirs qui remontent.

En attendant, je regarde ma fille avancer devant moi. Elle m'explique qu'elle ne sait pas si elle repartira dans l'après-midi ou demain matin, à cause du trafic. Je comprends. Une fois, elle m'a dit que si j'étais mort brutalement, elle aurait probablement regretté de ne jamais avoir eu une vraie conversation avec moi. J'ai répondu : « Tu me fais marrer. »

On arrive dans la cour du motel. Je montre à Céline le chat qui s'est allongé au soleil devant la porte de ma chambre. Je ramasse une pierre et la lance dans sa direction. Le chat arrête une seconde de se lécher, lève une oreille et poursuit sa toilette l'air de dire cause toujours. Céline se tourne vers moi. « Pourquoi t'as fait ça, t'es con ou quoi ? » Elle souffle. Je lui réponds que j'aurais pas jeté la pierre sur le chat, elle le sait bien, quand même, c'était juste une blague. Elle lâche son sac à mes pieds et fonce dans la chambre.

Quand les filles étaient petites, elles avaient un chat, un chat tigré qui dormait avec elles. Je me demande si Céline s'en souvient. Il avait attrapé la gale et je ne voulais pas qu'il la refile aux gamines. Je l'ai emmené à l'arrière de la maison, je l'ai attaché à la clôture, j'ai reculé, et j'ai tiré avec ma carabine. Après, j'ai enroulé le corps dans une couverture et je l'ai enterré loin derrière la maison, de l'autre côté du chemin de terre, pour que mes filles ne me voient pas. J'ai pas pu revenir avant le soir. Je sentais l'alcool. On a dit aux filles que le chat était parti en voyage avec son amoureuse.

Je rentre dans la chambre à mon tour. Céline est dans la salle de bains. Je range les courses. Je m'en suis sorti les premiers mois avec une glacière. Je la remplissais un jour sur deux d'un nouveau sac de glaçons. Mais j'ai fini par installer un petit réfrigérateur que j'ai réussi à coincer entre le mur et la commode qui supporte la télé. Pour y prendre un truc, il faut se mettre à genoux derrière le fauteuil à fleurs. Il y a quelques mois, j'ai aussi acheté un brûleur de camping. Quand je suis seul, je vais au restaurant du motel et le brûleur reste dans sa boîte en carton jusqu'à la prochaine visite de ma fille. Je ne bois presque plus de café le matin. À côté de la télé, la cafetière électrique s'empoussière sur son plateau fleuri, le filtre en papier et le sachet de café fournis par la direction restent intacts. La femme de chambre a cessé de venir tous les jours.

«Céline, une omelette, ça te va?» Je pose la question à travers la porte de la salle de bains. Je fais bouillir de l'eau sur le brûleur que j'ai sorti du placard et je me mets à penser aux choses que je dois lui dire. Je vais lui dire que j'y suis presque, que les bouteilles entassées dans la bassine sous le lavabo, j'y ai pas touché de la semaine.

Je verse l'eau bouillante dans nos tasses, ajoute une cuillère de café instantané, touille, me débarrasse de la casserole, pose la poêle sur le gaz, y jette le bacon, les œufs battus, et j'attends cinq minutes avant de hurler que c'est prêt. Céline pousse la porte, coiffée d'une serviette entortillée

autour de ses cheveux humides. Je lui tends son assiette.
Elle dit : « Merci, p'pa, ça sent bon », et va s'asseoir en tailleur sur le lit dans lequel elle a dormi. Elle place son assiette
en équilibre sur sa cuisse. Je lui annonce que ce soir, si elle
reste, on mangera au resto du motel et on fera un feu dans
la cour. Elle hoche la tête.

CARTE D'UN PÈRE
À SA FILLE

Sur la carte postale, on voit des gens, tous de dos, tournés vers une mer presque verte. La plage est minuscule, bordée de falaises de calcaire, ravinées par l'eau. Au bas de la photographie, le dessin d'un petit soleil qui sourit et le nom de la région : « Algarve ». Le tampon de la poste est partiellement effacé. On déchiffre l'heure de l'envoi, mais pas la date. J'ai trouvé cette carte dans un livre acheté d'occasion à Montréal l'année de mon arrivée.

Albufeira, 14 avril

Ma chère fille,
La petite route qui me mène à la mer est bordée de cactus !
Je ne peux pas ne pas penser à toi, tu vois !
Tout ce que je vis, c'est trop à la fois, c'est comme un rêve –
Je t'embrasse.
Dis à qui veut l'entendre que le Portugal est le plus beau pays du monde.

Papa

Ainsi demeurent, déchirants et stupides, les objets de nos morts.

— Marie Darrieussecq, *Être ici est une splendeur*

Ce livre contient des citations de : Laurent Mauvignier, Sophie Calle, Elena Ferrante, Marguerite Duras, Lori Saint-Martin, Ryoko Sekiguchi, Christian Boltanski (p. 209, p. 237), Charles Pennequin (p. 203-204), Marie Depussé, Philippe Ariès, Milan Kundera, Bertrand Bonello, Thierry Hentsch (p. 219), Romain Gary (p. 219), le *Dictionnaire en ligne des règles orthographiques et de grammaire* (p. 219), Catherine Mavrikakis et Nicolas Lévesque (p. 223), Léonard de Vinci (p. 223), Thomas Bernhard (p. 223), Raymond Carver (p. 230), Clarice Lispector, Léon Tolstoï, Lydie Salvayre, Siri Hustvedt, Gwenaëlle Aubry (p. 268), Platon, la Commission de toponymie du Québec et Marie Darrieussecq.

Les photographies et les documents proviennent des archives personnelles de l'autrice et de marchés aux puces.

/ REMERCIEMENTS

Les membres de ma famille qui ont accepté de remuer le passé malgré la douleur.

Guillaume Bellon, Aurélia Boudjenane, Vincent Brault, André Carpentier, Nicholas Fizzano, Gwendolina Genest, Thomas Gingreau, Hubert Hayaud, Pascaline J. Knight, Pierre-Louis Malfatto, Jacques Perron, Karen Trask, Gabrielle V. et Ingrid Vallus, qui ont répondu à un questionnaire sur quelqu'un qu'ils ne connaissaient qu'à travers moi, et Sylvie Chermet-Carroy, qui m'a autorisée à reproduire son analyse graphologique de la signature de mon père.

Pier-Philippe Rioux et Catherine Métayer, pour leur travail sur l'édition originale du *Drap blanc,* qui a pris la forme d'un livre d'artiste tiré à cent trente exemplaires et diffusé dans le cadre d'une exposition à la Fonderie Darling (Montréal) en mars 2017 ; ils en ont fait la codirection éditoriale, le design graphique et la révision.

La résidence d'écriture Passa Porta à Bruxelles, le Conseil des arts et des lettres du Québec (CALQ) et le Conseil des arts du Canada (CAC).

À mes sœurs, Christelle et Élodie, et à ma mère

Achevé d'imprimer au Québec
en novembre 2019 sur papier Enviro Édition
par l'Imprimerie Gauvin.